휴양지의 낮과 밤

ModernBooks

휴양지의 낮과 밤

발 행 | 2024년 8월 30일
저 자 | Aoi, 이하율, 이지안, 오정애, 이백프
펴낸이 | 박강산
펴낸곳 | 모던북스
출판사등록 | 2022.10.27.(제2022-144호)
주 소 | 서울특별시 동작구 흑석로 84, 108관 210호
이메일 | modernbooks_official@naver.com

ISBN | 979-11-93445-22-8

https://modernbooks.co.kr

들어가며

　『휴양지의 낮과 밤』에는 모던북스의 <작가가 되는 시간>을 통해 발굴한 5명의 신인 소설가들의 작품으로 이루어져 있습니다.

　이 책에는 짧은 생애에서 맺게 되는 약속의 의미, 그것이 죽음을 넘어설 만큼 중요하고 소중한 것임을 깨닫게 해주는 (「저 세상과 이 세상을 이어주는 끈」), 삶과 죽음의 경계에서 깨달은 일상의 소중함, 모든 순간을 특별하게 느끼게 만들어주는 마법 같은 이야기 (「인생이 나에게 준 10번째 생일 선물」)이 수록되어 있습니다.

　또한 유일한 가족인 엄마를 갑자기 잃고 맞이한 첫 기일, 아직 아프다 말하는 것에도 용기가 필요함을 깨닫지 못한 아이의 모습이 담긴 (「개화」), 회상의 추억으로 따뜻했던 시절을 담은, 부모님의 고단한 생이 담긴 (「산판일」), AI가 인간을 지배하는 시대, 수많은 인간들의 죽음을 지나치며 저항을 결심하는 인물의 모습을 그려낸 (「지수에게」)가 수록되어 있습니다.

차   례

휴양지의
낮과 밤

Aoi

이히울
이지안
오정애
이백모

지음

ModernBooks

저 세 상 과
이 세 상 을 이 어 주 는 끈

Aoi

그곳은
이승과 저승 사이 그 어디쯤이었다.

그 어디쯤 거대한 요단강이 뱀의 혀처럼 빠르고 거칠게 흐르며, 이승과 저승 사이를 갈랐다. 오직 그 강을 건너는 방법은 거대한 선박을 운행하는 선장 뱃사공을 통해서만이 가능했다. 삯을 내고 탄 배를 통해 저승길로 들어서는 망자의 행렬은 방대했다. 하지만 독고현은 그 행렬에 끼지 않고 선박 한 구석에서 이승을 떠나지 않겠다고 버티고 있었다.

'이렇게 스토커한테 당하고, 이승을 떠날 수 없어 억울해'라고 독고현이 속으로 부득부득 외자. 그런 그에게 요단강가에서 선교활동을 하는 아주머니가 한마디 건넸다.

"예수님 믿고 세상 미련 버리고 천국 가세요."

그런 말에도 흔들림 없는 독고현이었다. 그런 그를 설득하기 지친 선장 뱃사공이 말했다.

"어이~! 망자가 되도 나쁘지 않아, 저 여자 말대로 미련 버리고, 좋은 곳 가지 그래?"

그 소리에 욱한 독고현은 소리 쳤다.

"살아생전! 하나님, 예수님 믿고! 지금도 믿지만!"
"믿지만?"
"이대로는 포기 못해!!! 다시 이승으로 갈 거야!!!! 보내줘요네?"
"망자가 이렇게 미련이 질겨서야, 이대로 세상가면 악령에게 먹히기 밖에 더 혀?"
"안 보내주면 계속 이렇게 버틸 거예요. 스토커 때문에 못 지킨 약속. 지금이라도 지키러 꼭 세상에……."
"그래~ 그래~ 저 여자 말도 싫고, 저승 가는 것도 싫다 이거지, 그럼 이럼 어뗘?"
"뭐…뭐요?"

"이제부터, 선장 뱃사공 일 니가 혀라, 드디어 찾았네!"

"갑자기 이렇게요?"

"슬~슬~ 은퇴할 생각도 했었고, 다음 사공 일을 줄 영혼을 찾고 있었걸랑, 좀 있다. 저승사자 오면 인수인계하지."

"그럼 어르신은 어떻게 되는 건가요? 저승으로 가시나요?"

"세상 구경 한 번 더 하고 좋은 곳 가려고."

"세상구경이요?"

"그럼, 뱃사공 일을 하면 말이지, 비밀 하나 알려줄까?"

그렇게 이승도 저승도 아닌 곳에서 저승사자를 기다리며.

그렇게 독고현이 선장 뱃사공과 비밀 이야기를 귓속말하고 있을 무렵.

프랑스 파리는 한 겨울이었다. 연인들의 성지인 피렌체 두오모에서 어제 바람맞은 그녀, 미미. 또 혹시나 하는 마음에 오늘도 두오모를 찾았다. 자신을 지나쳐 가는 연인들을 보자 울컥해서는 울먹거리며 혼자 중얼거렸다. '어제가 딱 1년째 되는 날이었는데. 약속을 잊어버렸나, 만나기로 했던 시간이 또 지나가네.'라고 말이다. 그러다 괜스레 울화통이 터져서는 사람들 시선에 아랑곳하지 않고 미미는 소리를 질렀다.

"독고현 약속도 안 지키는 이 나쁜 자식아!"

그리고 그 자리에 주저앉아 다리 사이에 얼굴을 파묻었다. '그 약속 하나로 한국에서 파리까지 비행기를 타고 왔는데'라고 중얼대며 결국 울었다. 어느새 노을이 졌고, 몸은 서서히 얼어붙었지만, 미미는 피렌체 한 귀퉁이에 쭈그려 앉아 남은 미련 때문에라도 악으로 버티며 독고현을 기다리고 있었다. 다리 사이에 파묻은 얼굴로 코트를 한껏 당겨 바람을 막고 있는데.

그때였다.
갑자기 누군가 "저기요"라며 미미의 어깨를 쳤다.

깜짝 놀라 파묻던 얼굴을 들어 뒤를 보자. 쭈그려 앉은 그녀 뒤로 갑자기 긴 행렬이 생겨있었다. 분명 두오모 성당 꼭대기 한 귀퉁이에서 웅크리고 있었는데 말이다. 행렬은 그녀의 앞으로도 있었다, 그녀가 속해있는 행렬은 어느 광활한 배 선착장까지 이어져 있고. 모두들 배를 타려고 표를 들고 있었다. 그때 또 다시 같은 목소리가 들렸다.

"저기요."

부르는 소리에 다시 돌아보니, 키가 훌쩍 크고 잘생긴 어떤 동양남자가 행렬 밖에 서서, 쭈그려 앉아있는 그녀를 내려다보고 있었다. 미미가 그 남자에게 말했다.

"저요?"

"응."

"왜...왜요?"

"산 사람이 여기 이렇게 있으면 안 돼."

"네? 뭐요?"

"눈을 뜨라고요."

"누...눈을 요?"

"예, 눈을 뜨십쇼. 제발."

그 남자의 말에 정신이 확 든 미미는 웅크리고 있다 벌떡 일어나니. 병원 응급실 침대 위였다. 의사와 간호사가 바쁘게 지나다니고, 모르는 프랑스어가 여기저기 들리며 정신이 하나도 없는 상태였다. 그때 익숙한 한국말 목소리가 미미의 귓가에 들려서 보니.

"정신이 들어?"

아까 본 잘생긴 동양 남자가 옆에서 걱정스러운 얼굴로 자신을 바라보고 있었다.

"저... 어떻게 된 거죠? 분명 두오모 성당에……."

"거기서 기절 한 상태로 발견됐어."

"네? 기절?"

"저체온증이 와서, 그대로 잠들어 기절까지 하는 사람이 어디에 있어?"

"제...제가요?"

"그래. 니가 그랬다고."

"아니, 근데! 그건 그건데, 언제 봤다고? 왜? 말을 막 놔요?"

"됐고"

그 남자는 미미의 불만을 싹 무시하고는 꽤나 하는 프랑스어로 의사와 대화를 나누기 시작했다. 의사가 미미를 힐끔 한 번 쳐다보고는. 와서 빛으로 그녀의 동공을 살피더니, 괜찮다는 듯 제스처를 취했다. 그렇게 괜찮다는 판정을 받고, 병원 응급실에서 그 밤에 둘이 걸어 나왔다.

"그렇게 저체온으로 기절할 만큼 사람을 왜 기다려? 당신 바보야?"

"지켜야 될 약속이니까요."

"그래, 뭐...생각해보니. 까닥하면 그 약속. 목숨 걸고 지킬 뻔했네."

"네? 무슨?"

"당신! 죽을 뻔 했다고! 바보 하나 때문에 내 여행도 망쳤네."

"그건... 죄송해요."

"그럼, 내일 보상 하던가."

"네? 내일?"

"누구 때문에 내 하루 절반이 날아갔잖아, 내일 출국인데."

"죄송해요."

"죄송만 할 게 아니라, 밥이라도 사든가."

"네 살게요. 그럼 내일 어디서 뵙죠?"

"열차 운행 시간 한참 멀었어, 숙소 갔다 오는 거, 기다리다간 내일 밥도 못 얻어먹겠네. 숙소 멀지 않아?"

"네...근데 저도 내일 출국이라."

"그럼 더 잘 됐네. 내가 지내는 호텔로 가서, 내일 아침 먹고, 같이 움직이면 되겠네."

남자가 지내는 호텔은 병원에서 그리 멀지 않았다. 값 싼 싸구려 호텔도 아닌, 별이 몇 개니 하는 걸 따지는 곳 이었다. 눈이 휘둥그레질 만큼의 호화스러운 그 남자의 스위트룸에 미미는 속으로 중얼댔다. '이렇게 으리 번쩍 하니까 그렇게 당당 했구나.'라고 말이다.

"미미씨가 침실 써, 난 소파에서 잘게."

"아니에요, 미안한데 제가⋯⋯."

"그래? 그럼, 내가 침실 쓴다, 자자."

"근데⋯⋯."

"근데 뭐?"

"제 이름은 어떻게 알았어요?"

"쓰러졌을 때 미미씨 가방 좀 뒤졌어. 이름이라도 알아야 응급실 등록이라도 하지."

"아⋯⋯."

"그냥 얼어 죽게 내버려 둘 걸 그랬나. 약속이나 지키게... 고마운 줄을 좀 모르는 것 같아?"

"아, 그게 아니라,"

"피곤하다, 헛소리 하지 말고, 씻고, 발 닦고 잠이나 자 어서."

그런 연유로 미미는 독고현이 아닌 낯선 남자와 하룻밤을 보냈다. 하지만 그녀가 잠에서 깬 건 순전히 사부작 하는 이상한 기척 소리 때문이었다. 눈을 떠보니⋯⋯.

미미의 눈앞에. 독고현이 서 있는 게 아닌가.

그녀는 단숨에 달려들어, 그의 품에 안겼는데. 안긴 자리에 독고현은 연기처럼 화악 사라지고 반지 하나가 천장에서 마룻바닥으로 툭하고 떨어졌다. 주워들고 보니 '어디서 많이 본 반지인데?,'라고 생각했다. 1년 전 미미가 독고현에게 준 반지와 비슷했다. 아니 뺏긴 반지라고 표현하는 게 더 정확했다. 그렇게 반지를 뚫어져라 보는데, 어느새 어제 그 남자가 거실에 나와서, 미미에게 말을 걸었다.

"잘 잤어? 좀 씻어야 하지 않나? 멍 때릴 게 아니라?"

"그게 아니라, 여기 분명 현이가...현이가 있었는데... 갑자기...

이 반지가······."

"뭔 소리야?? 아~아~ 그 반지? 그 반지 맘에 들어? 그럼 미
미씨 가져."

"네?"

"가져 그 반지."

반지는 미미의 네 번째 손가락에 이상 할 정도로 딱 맞았다.

"아침밥 사는 거 잊지 말고, 빨랑 씻고 나가자고, 저녁 비행기
라 시간이 넉넉지 않아."

남자는 쿨하다 못해 무례하다고 느낀 미미지만, 나쁜 사람 같
지는 않았다. 짐을 챙길 때 언뜻 보인 옷들은 전부 검은 옷이
많았고, 헤어스타일까지도 검은 리프컷이었다. 다만 신경 쓰이
는 건, 그냥 가져도 된다는 반지가 그녀의 손가락에 딱 맞는 것
이 마음에 걸렸다. 그러니까 1년 전 독고현이 프랑스 유학을 마
칠 때 쯤 미미와 같이 두오모 성당에 올라갔다.

"1년간 연락이 어려울 거 같아, 그래도 1년 후에 여기서 이
시간에 꼭 다시 보자! 약속."

먼저 약속을 하자고 약지를 펼쳐 보인 건 독고현이었다. 그리
고는 미미의 네 번째 손가락이 낀 반지를 뺏어 자신의 약지에

찼다.

"딱 맞네, 어~우 이거 천생연분이네."

"어? 내꺼! 우리 엄마가 준거야."

"그럼 더 못 주지. 인연이네. 인연."

"하긴, 여자 네 번째 반지가 남자 약지에 딱 맞으면, 인연이라고는 하더라."

"그러니까! 1년 후에 꼭! 여기서 만나자 미미야, 여기. 피렌체 두오모 성당에서!"

"응!"

"그 날 오면, 이 반지 돌려줄게."

"꼭이다. 나한테 소중한 거야. 꼭 돌려줘야해."

"내가 언제 약속 어기는 거 봤어? 꼭 돌려줄게."

돌려주기로 약속했던 그 반지와 너무나도 비슷한 반지였다. 그렇게 이상하고 묘한 느낌을 가진 채 그 남자와 아침 식사를 간단히 같이하고 공항에 도착했다. 각자 비행기를 타는 게이트는 두 세 정거장 차이가 났다. 그렇게 전화번호를 주고받고는. 서로의 비행기를 타고 한국에 도착했는데. 한국 공항에서 날 기다리는 사람은 그 남자가 아닌 형사 둘 이었다.

"실례 합니다. 강서 경찰서 강력반 백남일 형사입니다. 김미미 씨 되시죠? 잠시 이야기 좀 나눌 수 있을까요?"

"네 맞는데 무슨 일로...?"

"프랑스 여행 가셨을 때, 혹시 독고현씨 만나셨나요?"

"현이요?"

"네."

"아...아뇨, 기다렸는데 나오지 않았어요."

"뭐, 연락 받으신 것도 없었고요?"

"네. 현이가 바빠서 한 1년은 연락을 못했어요. 혹시? 현이한테 무슨 일 있나요?"

"독고현씨로 추정되는 토막 난 시신이 프랑스에서 발견됐어요."

"예?"

"아직 확실하지 않지만 거의 정황상 독고현씨로 보입니다."

"독고현씨 진짜 안 만났어요?"

"네 못 만났어요."

"그럼 그 반지……."

"이 반지요?"

"잠시 반지 좀 볼 수 있을까요?"

백형사가 반지를 받아 들려고 하자, 옆에 같이 수사하러온 조형사가 수술용 장갑을 꺼내며 말했다.

"어이 백형사 장갑 끼고 만져"

"응, 조형사 이 사진 봐봐. 이거 피해자가 차던 반지랑 완전

똑같은데?”

　그렇게 형사 둘은 한참을 머리를 맞대고 이야기하다가. 내게
말했다.

　“미미씨. 이 반지 증거품으로 잠시 가져가도 되겠습니까?”
　“아...이 반지가 현이랑 무슨 상관이 있나요?”
　“독고현씨가 평소에 끼던 반지 하나 있었는데,”
　“네 현이 끼던 반지가 있었어요.”
　“그게...참... 새끼손가락이 잘려 나갔어요. 물론 끼고 있던 반
지도 같이 사라졌고.”
　“네?”

　바다에서 현이로 추정되는 퉁퉁 불어터진 토막 난 시신이 발
견되었는데, 왼쪽 새끼손가락을 누군가 일부러 잘라 냈다고 했
다. 누가 그렇게 현이에게 끔직한 짓을 했는지 믿겨지지가 않았
다. 너무 놀란 나머지 그 자리에서 털썩 주저앉자, 형사들은 나
를 부축하며 달랬다.

　“정황상 그렇다는 거지, 확실한 건 아니에요.”
　“이 반지...비슷해 보이긴 해도... 이건, 제 친구가 준건데.”
　“친구 누구요?”
　“아, 여행에서 만난 분인데.”

"여행에서요?"

"네 우연히 절 도와주신 분인데."

"어디서 도와줬는데요?"

"현이를 만나기로 했던 두오모 성당 꼭대기에서 만났어요."

"무슨 도움을 줬는데요?"

"현이가 약속 날에 나오지 않아서, 다음날에도 제가 가서 기다렸거든요. 그러다 제가 기절했는데 그때 도와준 분이예요."

"거참~ 상황이 묘하네요?"

증거품으로 수집해 갔던 반지에서는 두 사람의 혈흔이 발견이 되었다. 독고현의 혈흔과 범인으로 추정되는 인물의 혈흔. 그렇게 증거물 확보로 살해 여부도 확실치 않은 상황에서 여행지에서 미미를 구해준 그 남자는 경찰서로 끌려갔다.

그런 후 집에도 못 가고, 남자와 삼사일을 같은 말로 실랑이를 벌이는 백형사였다.

"사실대로 말 안 해?"

"말 했잖아요!"

"이 또라이야! 누가 네가 저승사자라는 걸 믿냐?"

"저승에서 독고현이라는 남자가 미련이 많다 길래 이야기를 들어줬고, 대신 반지를 받아서 준거예요. 독고현은 돌아와요, 죽지 않았어요. 명부에도 없던 남자라고요"

"무슨 소리야, 이렇게 토막 나서 바닷가에서 발견 됐는데!!!
사람 토막 쳐 죽여 놓고, 대놓고 또라이 짓이네."

한참을 그런 답도 없는 심문 중인 백형사를 방 밖에서 불러낸
건 조형사였다. 반지에서 발견된 혈흔과 남자의DNA가 일치 하
지 않는다는 대화였다.

"백형사~ DNA가 불일치래……."
"아! 저 새끼가 범인 같은데! 아님, 진짜 그냥 미친놈인가?"
"본인이 저승사자라는데 제정신이겠어?"

그 대화가 방까지 흘러 들어오자. 결국 화가 머리끝까지 난
남자는 대화를 마치고 방으로 들어온 백형사와 조형사에게 말했
다.

"그래, 니들이, 나를 정 못 믿겠다...이거지?"
"아니 어디서 반말이야? 이게?"

자신을 때리려던 백형사의 손목을 그 남자는 단숨에 콱 움켜
잡았다.

"어라? 이 자식 봐라? 놔! 이거 안 놔?"
"안 놔, 대신 니네들 목숨 걸고, 나랑 어디 좀 가야겠다."

"어딜 가? 이 새끼 봐라? 아야 뇨, 놓으라고!"

그 순간 땅이 갈라지고 깊은 골짜기가 생겼다. 두 형사는 갑작스런 상황에 얼어붙었다. 남자는 두 형사 양 팔을 잡고 골짜기로 질질 끌고 내려갔다.

"으아아~ 뭐야...으아악."
"으악! 백...백형사! 이게! 무...무슨 일이야 죽기 싫어! 싫다고!"
"자~ 형사님들~ 이제 독고현 만나러 가자! 저승길로, 죽지 않았다는 걸 알려준다니까?"

그렇게 해서 떨어진 곳은, 긴 행렬이 이어지는, 배 선착장이었다. 백형사가 놀라 먼저 입을 열었다.

"아니, 진...진짜...이 새끼 저승사자야? 왜 저승사자가 날 찾아와?"
"내가 널 찾아갔냐? 니가 날 찾아왔지 독고현 때문에."
"아 맞다! 맞다! 독고현.... 이 새끼야 독고현 어딨어?"
"저기 저 배안에 선장으로 있어. 그리고 새끼라니? 까딱하면 넌 지옥행이다."
"내가 왜!"
"저승사자가 그럴 힘도 없을 것 같아? 너 같은 피라미 형사

하나쯤은 죄목을 탈탈 털어서 지옥으로 보낼 수도 있어. 말씀 좀 정중하게 부탁드립니다."

독고현은 큰 선박의 뱃사공 선장이 되어, 망자들이 요단강을 건너는 걸 돕고 있었다. 백형사는 그걸 보고는 독고현에게로 달려갔다.

"저기!!! 독고현씨 되십니까!!??"
"네? 저 맞는데... 어? 저승사자 형님도 같이 오셨네. 형님! 여기 망자 하나가 제 이름을 묻는데요? 죽은 망자 두 분은 저쪽으로 인도해주세요."

독고현의 부탁에 저승사자가 소리쳤다.
"현이씨 그 두 사람 망자가 아니야."
"네?"
"이 두 사람 이승에서 온 형사야, 네가 죽었다며 확인하러 왔어."
"프랑스에서 독고현씨가 토막 난 채로 발견 되었어요."
"제가요? 뱃사공 일 100일째 하면 죽지 않는다고 그랬는데? 아! 오늘이 100일째라 그런가? 이승 돌아가서 다시 확인해 보세요. 전 안 죽었을 거예요, 형사님."

독고현의 그 말에 저승사자가 말했다.

"형사님들 재 안 죽었어, 사지 멀쩡하게 선장노릇 잘 하고 있고,"

저승사자의 말이 매우 불편한 백형사였다.
"어 흠, 그... 그러게나 말이야."
"내 명부에도 없다고 몇 번이나 이야기해?"
"그럼 그 시신은 독고현씨가 아닌 건가?"

그러는 순간.

순식간에 이승 세상으로 돌아온 두 형사였다. 너무 놀란 나머지 저승사자의 얼굴을 뒤로한 채 먼저 확인을 위해 독고현의 시신이 놓여있는 곳으로 달려갔다.

"여...여기 독고현 시신 있지?"
"네? 백형사님? 꿈 꾸셨어요?"
"무슨 말이야? 얼마 전에 독고현 토막 난 시신 발견 되서 이쪽으로 넘겼잖아"
"꿈꾸신 거 맞네, 실종 신고 이후에 증거품은 반지 하나만 찾았고, 아무것도 못 찾았어요. 가서 더 주무세요 많이 피곤해 보이네요."

그런 백형사를 멀리서 바라보는 저승사자였다. 백형사가 뒤를 돌아 그를 보자 그가 조용히 입모양으로만 말했다.

"봤지?"

두 형사는 그제야 남자가 저승사자라는 걸 믿게 되었다. 수사는 다시 원점으로 돌아와 있었다. 한참 수사가 난항인데 프랑스 경찰에게서 연락이 왔다. 미미에 대한 이야기였다.

"미미씨 두오모 성당에서 저체온으로 쓰러진 적이 있었죠."
"네"
"그 날 자세한 상황은 기억이 안 나죠?"
"사실 깨어보니...병원이어서."
"그 날 미미씨 공격을 당해서 쓰러져 있던 거였어요. 자 여기 CCTV 영상 봐 봐요."

그 날 누군가 뒤에서 날 공격했고, 놀란 나는 공격하는 상대의 긴 머리카락을 움켜쥐었다. 한참 상대방과 바닥에 뒹굴며 옥신각신하다가 한 번 더 머리를 얻어맞고는 기절을 했다. 기절한 상태에서 저체온이 온 거고, 그런 미미를 발견한 게 바로 저승사자였다.

미미를 공격한 상대는 머리가 긴 여자라는 것 뿐. 얼굴이며 알아 볼 수 있는 모든 건 다 가리고 있었다. 머리를 얻어맞아

일시적으로 미미에게 부분 기억 상실이 온 것 같았다.

"조형사, 사고 당일 날 미미씨가 입은 저 코트 좀 감식 반에 넘겨야겠어."

"미미씨, 그 날 입은 코트 세탁 안 했죠?"

"네. 아직은 그 날 그대로 가지고 있어요, 가져다 드릴게요."

미미가 가져온 코트에서는 반지의 혈흔과 동일한 DNA를 가진 금발 여성의 머리카락이 나왔다. 날 공격한 얼굴을 가린 여자가 범인이었다.

"프랑스 경찰에 연락해, 증거품 나왔다고."

그렇게 대조를 해서 찾아낸 여자는 독고현을 쫓아다니던 여자 스토커였다. 독고현을 칼로 찌르고 도망갔고 칼로 찌르면서 본인 손을 같이 베었다. 손에 낀 반지를 뺏으려다 일어난 일이라고 했다. 그렇게 저승사자까지 그 이야기가 들리자, 저승사자가 그 스토커 여자를 찾아갔다.

"자~ 이봐! 죗값을 치르러 가야지?"

저승사자는 여자를 무지막지하게 끌고 이승과 저승 사이로 내려갔다.

"현아!! 잡아왔다! 너 이제 뱃일에서 자유다."

"드디어 저도 이승으로 돌아가네요!"

"그래 그 뱃사공이 너한테 말한 비밀대로 다시 이승으로 돌아가는 거지."

그렇게 독고현은 스토커에게 선박 키를 건네며 말했다.

"자 스토커씨? 이제 당신이 저 배에 선장이야. 수고해!"

그리고 독고현은 프랑스 어느 병원에서 눈을 떴다. 회생 불가능 일거라던 식물인간에서 갑자기 살아 눈을 뜨고, 너무나도 자연스럽게 말까지 하자, 병원 관계자들은 깜짝 놀랐다. 그제야 독고현은 자신의 가족들의 이야기를 사람들에게 하고, 프랑스 경찰과 연락을 취해, 백형사를 통해 한국으로 돌아올 수가 있었다. 스토커 여자는 프랑스 경찰이 잡으러 갔을 때는 이미 자신의 집에서 숨진 상태였다고 했다.

백형사는 말로 설명하기 어려운 일을 겪었다는 듯 '정말 그자가 저승사자가 맞네 그래'라고 혼자 중얼거렸다. 그런 백형사에게 다른 부서 형사가 궁금한 듯 물었다.

"그래서 스토커는 왜 죽은 거래?"

"사인은 급성 심장마비래, 내가 보기에는 억지로 저승사자에게 끌려간 거야, 나쁜 짓해서. 아니 글쎄!!!? 자네 저승사자 본

적 있어? 난 봤다 저승사자."

그리고 한편 저승에서는 망자를 실어 나르는 배의 선장이 된 스토커. 죽어라 뱃일을 하던 그녀에게도 얼마 되지 않아 기회가 왔다. 회생하고 새로운 영혼이 될 기회.

"예수님 믿고 좋은 곳 가세요. 자매님 여기서 뱃일 그만 하시고, 예수님을 믿으세요."

그리고 이승에서는 미미와 재회한 독고현이 저승사자에게 물었다.

"근데 형님. 그 반지 어디 있어요? 제가 대신 미미한테 전해 달라고, 이승과 저승 사이에서 부탁드린?"
"여기 있다. 백형사한테서 뺏어왔어~"
"그때 부탁 들어줘서 고마워요."
"내가 이거 때문에 경찰서까지 끌려가서 얼마나 고생했는지 알아? 그나저나 두오모 성당에 둘이 언제 다시 간다고?"
"내일이요."
"그래 약속은 약속이니까 지켜야지."

그렇게 다음날,

미미와 독고현은 서로의 약속을 지키기 위해 파리 행 비행기를 탔다.

인생이 나에게 준
10번째 생일 선물

이
하
율

"거기 누구없어요?"
"살려주세요!"

나는 깊고 어두운 바다에 빠졌다. 순식간에 몰아닥친 파도에 휩쓸렸고, 내가 타고있던 튜브가 뒤집히면서 내 운명도 180도로 뒤바뀌었다. 야속한 파도는 계속해서 들이쳤다. 머리는 내동댕이 쳐지듯 바닷속으로 쳐박혔다.

"이러다 정말 죽겠어.."

갈 곳 잃은 팔다리는 필사적으로 움직여보지만, 맥주병 같은 몸은 계속해서 아래로 가라앉을 뿐이었다. 어떻게서든 이곳에서 빠져 나가보려고 손을 이리저리 뻗었다. 그러나 잡히는 것은 없었고, 나를 도와줄 만한 그 누군가도 보이지 않았다. 계속해서 파도는 일렁였고, 축쳐진 종이인형처럼 몸은 맥없이 떠내려갔다. 짜디짠 바닷물이 입과 코로 쏟아져 들어왔다. 무방비상태로 들이마신 탓에 정신은 점점 혼미해졌고, 숨은 턱끝까지 막혀왔다. 아무리 한치 앞도 모르는 게 인생이라해도 정말 이렇게 될 줄은 몰랐다.

"하필.. 오늘같은 날에.."

오늘은 10살 나의 생일이었다. 불과 몇시간 전까지만 해도 가족과 함께 행복한 시간을 보내고 있었다. 이른 아침부터 온가족이 둘러앉아 엄마가 만들어주신 미역국을 먹고, 아빠가 모는 빨간색 자동차를 타고 바다로 향했다. 창밖으로 불어오는 초가을의 선선한 바람과 옹기종기 모여있는 시골집 풍경, 분홍 코스모스와 노란 해바라기가 바람에 흩날리며 세상의 아름다움을 더해주고 있었다. 나는 눈을 감고 생각했다. 오늘 하루는 분명 완벽한 나의 10번째 생일이 될거라고, 차 안에 울려 퍼지는 가족들의 웃음소리가 점점 잦아들고, 우리는 한적한 바다에 도착했다. 휴가철도 지나고 아는 사람만 아는 바다여서 그런지, 관광객은 우리 가족 뿐이었다.

"와~ 완전 우리 세상이야!"
"아싸 신난다! 내가 먼저 들어갈 거야!"

언니와 나는 앞다투어 신발과 양말을 벗어 던지고 바다에 뛰어들어갔다. 왠지 모르게 등골이 서늘할 정도로 바닷물은 차가웠다. 하지만 한참 신이나있던 나는 바닷물을 첨벙거리며, 바다 안으로 들어갔다. 멀리선 엄마와 아빠가 차에서 내려 낡은 파라솔 아래 자리를 잡고 계셨다. 엄마는 우리가 걱정되었는지, 손을 흔들며 말했다

"애들아, 조심해! 어제 비가 많이 왔대."

그리운 엄마의 목소리가 점점 잦아들고 야속한 파도는 계속해서 바다 깊숙한 곳으로 나를 끌고 갔다. 수영도 할 줄 모르면서 튜브 하나에 의지해 이곳까지 들어온 내가 원망스러웠다.

'이렇게 죽을 수는 없어, 나 죽기 싫어.. 엄마, 아빠,'
영화 속 절체절명의 위기에 빠진 주인공은 비단 남의 일이라고만 생각했다. 하지만 그 주인공이 내가 될줄이야.

"이럴 줄 알았으면, 가족한테 사랑한다고 이야기할 걸.."

거의 내가 죽어간다는 생각이 들자, 가장 먼저 머리를 스쳐간 건 가족과 함께했던 시간이었다. 생일 3일 전 늦은 밤, 달그락거리는 소리에 잠이 깬 나는 눈을 비비며 방문을 열고 나갔다. 어두운 거실과는 달리 부엌의 불은 환히 켜져있었고, 아빠는 혼

자 주방에서 무언가 만들고 계셨다. 나는 아빠를 놀래켜줄 심산으로 까치발을 들고, 살금살금 다가갔다. 아빠는 인기척에 놀란 듯 고개를 획하고 돌려 나를 바라보았다.

"아이구! 깜짝아!"
"아..아직 안잤니?"

놀란 듯 동그랗게 뜬 아빠의 눈을 바라보다 볼에 묻은 흰색 밀가루를 발견했다.

"히히~ 아빠! 이번엔 무슨 케이크에요?"

나는 선반 위에 올려진 카스테라 시트를 가르키며 말했다. 오븐에서 갓 구웠는지 모락모락 따뜻한 김이 올라오고 있었다. 아빠는 싱긋 웃으며 이마에 맺힌 땀을 닦으며 말했다.

"네가 제일 좋아하는 생크림 케이크를 만들거야~"

그제서야 나는 코끝에서 풍겨오는 고소하고 담백한 향기에 코를 킁킁댔다. 가족의 생일날마다 케이크를 직접 만들어주시는 우리아빠, 아빠의 꿈은 원래 제과제빵사였다. 물론- 지금은 직장에 다니는 평범한 회사원이지만 말이다.
"히히~ 그럴 줄 알고, 벌써 한 달 전부터 기대하고 있었죠~"

나는 신이 난 얼굴로 아빠의 손에 들려있는 그릇을 보며 말했다. 그 안에는 눈처럼 하얗고, 구름처럼 부드러운 생크림이 담겨 있었다.

"아빠가 너 만할 땐 빵이 정말 귀했어."
"빵을 먹을 땐, 온 세상을 다 가진 것처럼 행복했지."

아빠는 어린시절로 다시 돌아간 듯 천장을 바라보며 천진난만한 미소를 지었다. 늘 지친 얼굴로 퇴근하던 아빠의 모습과는 달리, 생기가 넘쳐 보였다. 엄마 말로는 할아버지의 뜻대로 아빠는 대학에 가고, 곧바로 회사에 취직했지만, 매일 컴퓨터 앞에서 씨름을 하는 아빠가 안타깝다고 말씀하셨다 그래도 1년에 3번. 아빠는 가족을 위한 케이크를 만들어주셨다. 그렇게라도 못다이룬 어린시절 꿈의 아쉬움을 달래는 듯 했다.

"밤이 늦었는데, 얼른 자야지~"

벽시계를 보니 시곗 바늘은 어느새 12시를 가리키고 있었다. 아빠는 앞치마에 묻은 밀가루를 톡톡 털더니, 내 머리를 쓰다듬으며 말했다.

"고마워, 그래도 딸 덕분에 내가 오랜만에 케이크를 만들어보

네"

그날 아빠의 모습이 내 마음에 오래 남는건 왜일까. 늘 피곤
해 보이던 아빠가 오늘따라 기분이 좋아보였다. 그리웠다. 아빠
가 환하게 웃는 얼굴이. 시간을 되돌릴 수만 있다면 다시 돌아
가고 싶었다.

"난 이제 어떻게 되는걸까, 너무 무서워."

어느덧 희미해지는 기억 뒤로 차갑게 식어버린 몸의 감각이
느껴졌다. 손가락은 까딱하기 어려울 정도로 굳어갔다. 눈물이
흘렀다. 차라리 이 모든게 꿈이었으면 좋겠다. 더 이상 내가 할
수 있는 게 없다는 생각을 하니 절망스러웠다.

'10년만 지나면 나도 어른인데..'
'엄마는 어른이 되면 내가 하고 싶은 일도 다 할 수 있다고
말했단 말야..'

이렇게 죽기엔 너무 억울하다는 생각이 들었다. 이런 식으로
죽음을 맞이하고 싶진 않았다.

'나 정말 살고싶어- 그럴수만 있다면...'
그렇게 거의 정신을 잃어갈 때쯤 갑자기 암전된 듯 온 사방이

어두워졌다. 더 이상 귓가에 철썩거리던 파도의 소리도 들리지 않았다. 아무것도 들리지 않고, 보이지 않고, 느껴지지 않으니 오히려 두렵거나 무서운 느낌도 사라졌다. 검은색 세상에 나혼자 덩그러니 남겨진 듯, 주위가 적막했다. 왠지 모르지만 마음이 점점 편안해졌다. 그리고 신기하게도 그동안 인생을 살면서, 겪었던 행복한 순간들이 마음 속에 스쳐지나갔다. 학교에서 친구들과 신나게 피구를 하는 모습, 학교를 마치자마자 부리나케 놀이터로 달려가 신나게 미끄럼틀을 타는 모습, 실컷 놀고 집에 도착하니 집안 가득 퍼져있는 맛있는 냄새에 코를 킁킁 대는 모습, 주말에 온 가족이 식탁에 모여앉아 김이 모락모락 나는 흰쌀밥을 먹는 모습, 언니와 새삼 즐거운 표정으로 tv 만화영화를 보며 티격태격 대는 모습, 그 순간 주고 받은 대화까지도 생생하게 느껴졌다. 그땐 몰랐지만, 지나고보니 일상의 소소한 순간들이 나에게 '행복'이란 감정을 선물해주었다. 하지만 점점 꿈처럼 아득하게 느껴졌고, 더 이상 그 일상을 살 수 없다는 생각에 다시 두려워지기 시작했다.

'난 왜 그동안 몰랐을까...내 몸이 사라진다면, 오늘 하루라는 시간도 사라진다는 걸.'

그 모든 순간들은 내가 살아있기에 가능한 일이었다. 세상에 나라는 사람이 존재하지 않으면, 더 이상 사랑하는 사람과 함께 할 수 있는 순간도 사라져 버린다. 마음 속 이미지들이 모두 사라지고 난 뒤 희미하게 마지막 순간이 떠올랐다.

"우리 생일 노래 부르고 케이크 먹을까?"
"좋아요!"

아빠가 만든 생크림 케이크 위에는 직접 쓴 글씨가 삐뚤빼뚤 적혀 있었다.

'세상에서 하나뿐인 딸, 태어나줘서 고마워.'
'생일 축하해.'

그리고 온 가족은 고요한 바다에서 생일노래를 부르기 시작했다.

"생일 축하 합니다~ 사랑하는 우리 딸 생일 축하합니다~"
"짝짝짝."

언니는 노래가 끝나자마자 나에게 달려들었다. 생크림을 한웅큼 집어 내 얼굴에 하얀 크림을 묻혔다 티격태격 장난치는 우리를 보며, 엄마는 부리나케 가방에서 카메라를 꺼내들었다.

"잠깐! 시간이 지나도 남는 건 사진 속 추억이야."
하나의 추억을 오래 간직하고 싶은 날에는 늘 엄마의 카메라가 등장했다. 처음 내가 걸음마를 뗀 순간부터, 돌잡이 때 펜을 잡았던 순간, 유치원에 처음 가서 잔뜩 겁을 먹은 표정으로 풍선을 들고 있는 나의 모습까지 ,엄마의 카메라 덕분에 내가 기억하지 못하는 순간까지 하나의 이미지로 남겨졌다. 나중엔 엄마와 사진첩을 넘겨보며 나의 어릴적 이야기를 들을 때면, 나도 그런 시절이 있었구나, 새삼 놀라기도 했다.

"하나, 둘, 셋! 김치~"
"찰칵~!"

환하게 터지는 플래쉬와 함께 나는 생각했다. 만약 나에게 살아있을 수 있는 순간이 주어진다면, 인생을 좀 더 살아볼 수 있다면, 좀더 사랑하는 가족과 좋은 추억을 만들고, 좀더 아빠처럼 내가 좋아하는 일도 적극적으로 찾아보고, 좀더 티격 태격 대던 언니와도 사이좋게 지내보겠다고, 결심했다. 그리고 그때 그 순간. 어디선가 고요한 울림소리가 마음속에 울려퍼졌다.

"콩 콩콩 콩"

내 심장이 아직 뛰고 있었다. 그것도 아주 빨리,

'처음이야 이렇게 심장소리가 가깝게 들려왔던 적은...'
심장은 내가 태어나서 죽을 때까지 쉴새없이 뛴다. 단 한 번도 멈춘 적이 없다. 그 심장소리가 나에게 마치 이런 메시지를 전해주는 것 같았다.

"난 언제나 너를 위해 존재해."
"힘을 내, 넌 할 수 있어."

나는 지금 어디쯤 와있는지도 모른다. 이 극적인 상황에서 더 나아질 것도 없어보인다. 하지만 그래도 아직 나는 살아있었다. 마음 한켠에 희망의 꽃이 다시 피어오르기 시작했다.

'이 어두운 상황속에도 내가 할 수 있는게 있지 않을까?'

나는 뭐라도 좋으니 일단 살 수만 있다면 무엇이든 해보겠다는 결심이 섰다. 이처럼 간절히 살고 싶다는 생각이 든 것도 처음이었다. 나는 굳어있던 손과 발을 꼼지락거렸다 팔과 배 그리고 다리와 어깨, 목까지 조금씩 미동하기 시작했다. 수영을 제대로 배운 적 없지만 살고자 하니 직감적으로 나는 온몸을 움직여 헤엄을 치기 시작했다. 나는 뻣뻣해진 몸에 있는 힘껏 힘을 불어넣었다 팔은 위로 뻗고, 몸에 있던 긴장을 풀었다. 그리고 정말 젖먹던 힘까지 끌어올려 최후의 몸부림을 쳤다. 거의 숨은 멎기 일보직전이었지만 나는 나를 살리기 위해 끊임없이 나아갔다. 계속해서 심장은 쿵쿵 뛰었고, 나는 그 심장소리를 들으며 힘차게 위로 또 위로 올라갔다. 그리고 곧 주변의 시야가 점점 밝아지는게 느껴졌다. 왠지 모르지만 곧 내가 안전해질거란 생각마저 들었다. 덕분에 내 몸은 점점더 수면위로 떠올랐고 결국 몸이 바다 수면 위로 전부 떠올랐다 나는 잽싸게 얼굴을 내밀어 숨을 들이마셨다.

"하..."
"흐읍.."

내가 들이쉬고 내쉴 수 있는 공기가 있다는게 이렇게나 소중하다는 사실을 그때 처음 알았다. 죽을 것같이 조여왔던 목의 갑갑함이 조금씩 사라졌다. 바닷물에 절어 따가운 눈을 깜빡이며 고개를 돌리자 누군가 나를 향해 헤엄쳐오고 있다는 것을 확인할 수 있었다. 그리고 흐릿하게 보였지만 아빠인 것 같았다. 곧 내가 안전하게 집으로 돌아갈 수 있을거란 생각에 눈물이 났다.

'이제.. 나.. 다시 살 수 있는거야..?'

극도의 긴장감 속에 지쳐있던 마음도 눈녹듯 녹아내리는 것 같았다. 다시 살 수 있을거란 희망은 그 무엇보다도 나를 기쁘게 만들었다. 그러나 난 그 순간 정신을 잃었다. 내가 또렷하게 기억할 수 있는 건 딱 거기까지였다. 그 다음 부턴 모두 흐릿한 기억이었다. 119구급차가 삐용대는 소리, 삐걱거리는 침대에 누위있는 느낌, 옆에서 들려오는 울음 소리, 병원에 도착한 듯 빠르게 뛰어가는 발자국 소리, 잘 될 거라는 의사 선생님의 말과 함께 몸이 덮힌 이불의 감촉 수술 전 마취주사와 함께 또 스르르 정신을 잃는 느낌까지, 모두 단편적인 기억들 뿐이었지만 회미하게나마 기억이 난다. 그리고 시간이 얼마나 흘렀을까, 내가 다시 눈을 뜬 곳은 흰 병실 안이었다.

"어! 의식을 찾았어요."

내가 눈을 뜨자, 옆에 있던 언니는 나를 와락 껴안았다. 평소엔 천연덕스러운 얼굴로 장난을 치던 언니가 나를 안고 있다는 게 왠지 어색하지만 기분은 좋았다.

"다행이야."
"조금만 더 늦었음 정말 큰일날 뻔했어!"

나는 눈물을 글썽이는 엄마를 보며 싱긋 웃었다. 아빠는 그 모습을 보며 안도의 미소를 짓고계셨다. 나는 차디찬 바다가 아닌 이곳에서 눈을 뜬게 다행이라는 생각이 들었다. 몸에 느껴지는 침대보의 부드러운 촉감과 코 끝에 풍겨오는 소독약 냄새, 열린 창문 사이로 들어오는 살랑 바람, 병실에 은은하게 비치는 아침 햇살. 그 모든 것들이 소중했다. 나는 침을 꼴깍 삼키며 눈을 감았다.

'콩 콩콩 콩콩 콩'

여전히 콩닥 대는 나의 심장소리가 들렸다. 그 소리는 바다에 빠진 나를 구해주었고, 지금도 내가 살아있다는 사실을 온몸으로 느낄 수 있게 해주었다. 그렇게 무사히 가족과 함께 다시 집으로 돌아가는 길 나는 차창 밖에 펼쳐진 풍경을 멍하니 바라보았다. 평소같으면 그냥 지나쳤을 법한 모습도 더 생기있고 다채로워 보였다. 길가에 아름답게 수놓아진 빨갛고 노오란 단풍잎들, 하루종일 뛰어놀아도 다 모자를 정도로 커다란 들판과 초록빛깔 나무들, 저 산 너머론 새로운 아침을 알리는 밝은 태양도 떠오르고 있었다. 차 안으로 시선을 돌리니 옆에는 언니가 색색대며 곤히 자고 있었고, 엄마는 고개가 꺾일 정도로 세상 모르게 잠에 푹 빠져있었다 아빠는 차 핸들을 조금씩 움직이며, 우리 가족을 기다리는 집을 향해 계속해서 나아가고 있었다. 나는 그 평온한 분위기 속에서 만족스러운 얼굴로 눈을 살포시 감는다. 그리고 얼마 전 내가 케이크 촛불을 불며, 소원을 빌었던 모습을 떠올렸다. 나의 10번째 생일, 내가 밤낮을 고민한 끝에 떠올린 하나의 소원. 그 간절한 소원은 바로,

"행복하게 살게 해주세요"였다.

그러나 소원을 빌고나서 나에게 예상치 못한 사고가 찾아왔다. 다시 떠올리고 싶지 않을 만큼 무섭고 두려웠지만, 어쩌면

그 순간이 삶이 나에게 준 선물 일지도 모른다는 생각을 하게
되었다. 짧은 순간이었지만, 나는 마치 운명같은 그 순간 덕에
인생을 새로 시작하는 기분이 들었다. 겉으로 보면 나는 달라진
게 없었지만 안으로 보면 아주 많은 변화가 생긴 듯 보였다. 그
리고 앞으로의 내 인생에도 새로운 변화가 생길 것 같았다. 그
렇게 집에 도착한 나는 가족과 한 명씩 포옹을 했다.

"푹 쉬어."
"사랑해요 엄마 아빠 언니!"

오랜만에 들어온 내 방. 그리웠다. 익숙한 책상과 의자, 삐걱
거리는 낡은 침대, 노란색 달이 그려진 커텐과 분홍색 꽃이 수
놓아진 이불 그 모든 것이 오늘따라 더욱 특별하게 느껴졌다.
나는 책상 앞에 앉아 서랍장을 열었다. 내가 아끼는 토끼펜과
먼지가 옅게 내려앉은 다이어리 한 권을 꺼냈다. 작년 생일에
언니에게 선물로 받은 다이어리였다. 그동안 이 안에 무슨 말을
적어야 할지 몰라서 서랍장 속에 고이 모셔두고 있었다. 하지만
이젠 알 것 같다. 나는 다이어리 위에 앉은 먼지를 후 불고, 조
심스럽게 첫 장을 펼쳐, 내 손으로 정성스럽게 꾹꾹 눌러적었
다.

[오늘 하루를 살며, 느꼈던 나만의 행복]

첫 번째. 차를 타고 오는 길 보았던 아름다운 자연 환경

두 번째. 함께 웃을 수 있는 가족이 곁에 있다는 것

세 번째. 마음먹기에 따라 얼마든지 행복해질 수 있다는 사실을 알게 된 것

앞으로는 나에게 주어진 오늘 하루 속에 있는 작고 소소한 행복을 잘 느끼는 사람이 되어야겠다는 생각이 들었다. 그리고 지금 이 순간은 내가 살아있기에 경험할 수 있는 소중한 것이었고 나는 이미 행복을 느끼며 살기 위한 모든 조건을 다 가진 사람이었다. 그래서 나는 지금 정말 행복하다.

개화

이
지
안

  현관 앞에 앉아 신발을 신고 있는데 딸아이가 현장학습을 갈
때 썼던 도시락 가방이 눈앞에 불쑥 들어왔다. 빨간색 딸기가
일정한 간격으로 그려져 있는 패브릭 소재의 가방이었다. 손바
닥 두 개를 합친 크기로 딸아이가 양이 많다며 불평하던 모습을
본 적이 있어서 기억했다. 고개를 들어 돌아보니 아내였다. 나
는 자리에서 일어나 이걸 왜? 하는 표정으로 아내의 얼굴을 보
았다. 받지 않고 보고만 있자 아내가 내 손에 가방의 손잡이를
들려준다. 꽤 묵직한 무게가 느껴졌다.

  "그 아이 주라고. 반찬 몇 개 담았어."

  아내는 다정한 말과는 다르게 뚱한 표정으로 나를 바라봤다.
나는 그런 아내에게 피식 한번 웃어주고 다녀온다는 인사와 함
께 현관을 나섰다. 밖으로 나오니 아침 공기가 시리게 다가왔

다. 여름의 끝자락은 가을보다는 겨울을 불러온 모양이었다. 올해도 가을은 일찍 도망치려나. 나 어릴 땐 적어도 두 달은 가을이었던 것 같은데 아쉬운 마음이 들었다.

오늘은 연차를 내어 휴일이지만 차를 지구대가 있는 쪽으로 몰았다. 지구대 옆에 편의점이 하나 있었는데, 그 앞에서 아이를 만나기로 했기 때문이다. 그 편의점은 아이가 일하는 곳이기도 했다. 미성년자인 아이가 급여를 받는 일을 하기 위해서는 어른의 동의서가 필요했고 내가 동의서를 써주기도 했었다. 지구대와 가까워서 내가 자주 들러볼 수 있는 곳이기도 했다. 그러고 보니 아이가 혼자 살아가게 된 지도 일 년이 다 된 터였다. 청소년쉼터를 제안한 내게 이사도 거부하고 아르바이트를 하면서 말이다. 그 아이의 유일한 가족이었던 엄마의 기일이 바로 오늘이었으니까.

"옷을 왜 이렇게 얇게 입었어. 거기 허허벌판이라서 바람 많이 분다고 아저씨가 맨투맨 같은 것 입으랬잖아."

나는 편의점 앞 도로가에 서 있던 아이가 차에 타자마자 잔소리를 내뱉었다. 안 그래도 집에서 나오면서 바람이 차다고 생각했는데 아이는 여름에 입을만한 얇은 긴팔 티셔츠에 면바지를 입고 있었다. 큼지막한 쇼핑백 하나를 뒷자리에 조심히 놓더니 아이가 입가를 실룩이며 웃었다.

"아저씨랑 달리 전 어리니까 괜찮아요. 그리고 차 타고 가는데요 뭘."

"하여튼 말도 지지리도 안 들어."

나는 뒷자리에 접혀 있는 담요를 들어 아이의 무릎에 올렸다. 아내가 자주 사용하던 것이었다. 아이는 안전벨트를 매더니 담요를 접혀있는 그대로 안았다. 마치 강아지를 안은 모양새였다. 나는 아이가 자리 잡을 때까지 기다렸다가 서서히 액셀을 밟았다. 돌아올 때 후드 티라도 하나 사 줘야겠다고 생각했다.

"아저씨네 아줌마가 너 주라고 반찬 싸줬어. 이따가 집에 갈 때 잊지 말고 가져가라."

내 말에 아이가 뒤를 돌아 뒷자리에서 안전벨트를 매고 있는 도시락 가방을 본다.

"우아, 저번에 주신 것도 아직 그릇 못 드렸는데."

"괜찮아, 우리 집에 그릇 많다."

나는 싱크대 밑과 찬장에 있는 수많은 그릇을 떠올리며 말했다.

"그래도요. 너무 감사합니다. 정말 맛있더라고요."

"그렇지, 맛있지. 아줌마가 요리를 잘해."

"아저씨 딸은 좋겠어요, 맛있는 거 맨날 먹어서."

훅 들어온 부러움의 말에 대답하기 곤란해서 나는 대충 웃어줬다.

"아저씨 근데, 엄마 유골함 앞에다 상 차려드리면 안 되는 거예요?"

"거기 원칙상 안 될 걸. 그리고 향도 피우고 술도 따르고 절도 해야 되는데 너무 좁잖아."

"아 그런가."

아이는 금방 자신의 주장을 접고는 이내 말했다.

"엄마가 제육볶음 좋아해서 그거 했어요. 소고기국이랑 콩나물무침이랑 시금치랑 멸치볶음도 했어요. 저 어젯밤에 11시까지 요리했잖아요."

아이가 손가락을 하나하나 접어가면서 말했다. 제사 음식 같은 건 안 해봤을 테니 도와주겠다고 했더니, 엄마가 좋아하던 음식을 해가고 싶다며 굳이 본인이 할 것이라 고집을 부렸었다. 아이의 말이 맞는 것 같기도 해서 수긍하였었지만 요리한다고 밤늦게까지 했을 고생이 보여서 안쓰러웠다. 이렇게 아이는 알아서 뭐든 잘하고 있었다. 며칠 전 점심 먹고 편의점에 들렀을 때 첫 기일이 얼마 남지 않았다는 것이 기억나서 이야기를 꺼냈더니, 당일에 봉안당에 갈 것이라며 이미 버스도 예약했다고도 했었다. 아직 어른의 보살핌 안에 있어야 할 아이가 어른의 눈을 하고서 씩씩하게 말하는 것이 마음이 쓰였다. 안 그래도 챙길 생각이었기에 데려다준다고 했던 것이지만 피곤해 보이는 아이의 얼굴을 보니 그러길 잘한 것 같았다.

"내년부터 제사는 집에서 지내고 봉안당은 인사만 하고 와. 무겁게 앞으로도 계속 음식 싸가지고 다니지 말고."

"저도 그럴까 생각하긴 했는데, 엄마가 집에 안 오고 싶어 하면 어떡해요."

아이의 말에 다시 말을 잇지 못하고 입을 다물었다. 작년 오늘, 신고를 받고 아이의 집으로 찾아갔을 때 마주쳤던 당시가 떠올랐다. 밤바람에 코끝이 시리다는 걸 느꼈던 계절, 순찰에서 돌아와 지구대에서 떡볶이를 먹고 있을 때 상황실에서 코드 제로 호출을 받았던 그날.

엄마가 피를 흘리며 화장실에 쓰러져 있다는 신고였다. 보통 가족이 쓰러진 채 발견되면 119로 신고하는데 바로 112로 신고했다는 것이 마음에 걸렸다. 신고자의 판단상, 사고가 아니라 사건이라고 생각했다는 이야기였다. 방금 순찰을 돌면서도 특이점이 없었는데, 어떤 간 큰 인간이 지구대 근처에서 사건을 저질렀단 걸까? 상황실에서 말해준 주소의 빌라는 지구대에서 걸어서 5분이 채 안 걸리는 거리에 있는 건물이었다. 다행히 아는 건물이어서 동료들과 바로 뛰어갔다. 건물 안으로 들어가면서 엘리베이터가 없는 건물이라는 것이 떠올라 순간 멈칫하기도 했지만 계단을 타고 올랐다. 뛰면서 나도 모르게 젠장, 소리가 나왔다. 아직 체력은 괜찮은 나이라 자부했는데 4층까지 뛰어올라오니 폐에 구멍이 뚫린 것처럼 숨을 쉬어도 쉬는 것 같지 않았다. 복도 벽에 기대 크게 복식호흡을 몇 번 했다.

"선배님, 저 복도 끝입니다."

같이 뛰었는데 장순경은 괜찮은 얼굴로 다가와 말했다. 숨을 몰아쉬는 날 내버려두고 현관문들을 둘러보고 오더니 왼쪽 끝을 가리켰다. 건물은 일자로 된 복도식 빌라였는데, 계단은 맨 오른쪽에 하나만 있었다. 즉, 건물 끝까지 추가로 걸어야 한다는 말이었다. 숨을 몰아쉬면서 신고지인 405호로 향했다. 사방이 꽤 조용했다. 복도의 전등이 제대로 켜져 있는 것이 몇 개 없어 음산한 분위기도 돌았다.

그래도 사고가 났을 것 같은 분위기는 아니었다. 현관문 앞에 도착해 초인종을 누르려다가 혹여 놀란 신고자가 더 놀랄 수도 있어 조용히 문을 두드렸다. 경찰입니다, 문 좀 열어 주시겠어요? 하는데 말이 끝나기가 무섭게 문의 잠금장치가 열리는 소리가 들렸다. 문이 천천히 열렸다. 집 밖으로 열리는 문이라 열리는 문을 피해 옆으로 서자 안에서 교복을 입은 여자아이가 어색하게 서 있었다. 한쪽 발은 집안에 한쪽 발은 현관에 둔 채로 표정 없는 얼굴로 우리를 바라보고 있었다. 아이의 흰 양말은 거무스름한 물이 들어 있었다.

"경찰입니다. 신고하셨죠? 들어가도 될까요?"

아무리 급해도 방문 이유를 말하고 사건 현장을 살펴보겠다고 말하는 건 의무였다. 아이는 작게 고개를 끄덕이더니 뒷걸음질쳐 안으로 들어갔다. 현관문을 열고 들어서니 집안이 한눈에 들어왔다. 이 건물의 집안을 들어온 건 처음이었는데, 원룸 구조를 가지고 있었다. 작은 침대 하나, 고동색의 3단짜리 서랍 하나, 작은 나무 책상 하나, 패브릭 옷장 두 개가 전부였지만 벽면에 빈 공간 없이 꽉 늘어서 있었다. 아이가 현관 옆의 문이 닫히다 만 공간을 가리켰다. 화장실 같았다. 문을 조심스레 밀었다. 밖에서 안으로 열리는 문이었다. 문을 열자 바닥에 쓰러져 있는 몸뚱이가 바로 보였다. 나는 문 앞에 쪼그려 앉아 말을 걸어봤다. 당연하게도 대답이 없었다. 화장실 안에 발을 들이지 않고 손을 뻗었다. 얼굴 위치까지는 팔이 닿아서 머리카락을 살짝 들어보았다. 바닥을 향해 얼굴을 박고 있는 모양이었는데 바

닥에 낭자한 거무스름한 핏물에 입과 코가 잠겨있었다. 머리카
락에 진득하게 따라 올라오는 피가 보여서 얼른 손을 떼었다.
그냥 봐도 자연사나 사고사는 아니었다.

"라인 쳐."

내 말에 장순경이 밖에 있는 동료들에게 진행하자, 라고 말하
며 현관 밖으로 나갔다. 우르르 몰려온 나를 제외한 3명의 동료
가 부산스럽게 움직였다. 나는 자리에서 일어나 침대 옆에 몸을
말고 앉아 있는 아이를 보았다. 이불을 둘둘 어깨에 두른 채 허
공만 바라보고 있었다.

"고등학생이에요?"

내가 묻자 아이의 시선이 내게 온다. 다만, 내 다리 어딘가를
쳐다보고 있었다. 아이가 힘없이 고개를 끄덕였다. 입고 있는
교복으로 유추해 볼 때 근처에 있는 고등학교 학생 같기는 했
다. 이불 밑으로 나온 아이의 발은 이제 보니 피 때문에 거무스
름했던 거구나 생각했다. 피해자를 발견하고 아연실색했을 장면
이 상상됐다. 나는 발에서 시선을 떼고 여기저기 찍혀있는 희미
한 핏자국들을 돌아봤다. 현장이 오염됐네, 속으로 생각하고 아
이의 앞에 쪼그려 앉았다.

"많이 놀랐죠? 언제 발견했어요?"

아이에게 바로 대답이 나오지 않았다. 나를 보고 있기는 했지
만 눈에는 초점도 없었다. 더 물어도 대답은 쉽게 나오지 않을
것 같아 아이의 옆에 똑같이 침대에 등을 대고 앉았다. 어차피
강력팀에서 와서 조사할 것이다. 나는 현장 보존이나 하고 강력

팀이 오면 넘겨주면 되는 것이니 목격자이자 피해자이자 유가족으로 보이는 아이나 돌봐야겠다고 생각했다.

"방금…전…에요…."

몇 분 정도의 적막 후에 아이가 더듬거리며 말했다. 나는 그랬구나, 하고 입을 다물었다. 괜히 물어봤다고 생각했다. 내가 묻는 건 크게 의미가 없을 거였다. 곧 강력팀에서 목격자 진술을 할 것인데 내게 대답해 봤자 두 번 대답해야 하는 상황이 되는 것이다. 누가 봐도 정신이 없는 아이에게 괜한 고통을 줄 필요는 없으니 일반적인 것을 묻기로 했다.

"아저씨 이름은 황진우예요. 이름이 뭐예요?"

"…유…주은…이요…."

아이는 힘에 겨운 듯 말을 뱉었다. 말하면서 숨을 불규칙적으로 내뱉고 들이마셨다. 사람이 충격을 받으면 자연스럽게 일하던 몸의 기능들이 고장 나기 때문에, 아이의 상태가 일반적이지 않다는 것은 바로 알았다. 쇼크가 오려나 싶어 아이를 살폈다. 아이는 짧은 숨을 두 번 내뱉고 한번 힘겹게 들이마시고 세 번 또 짧게 내뱉고 크게 숨을 들이마시는 행동을 불규칙적으로 반복했다. 나는 아이를 감싸고 있는 이불 위의 등 뒤로 살짝 손바닥을 대었다.

"우선 숨을 제대로 쉬어 보자. 아저씨 말대로 해봐요. 숨을 크게 들이마셔 보는 거야. 쓰러질 것 같아서 그래. 자, 들이마시고. 옳지, 내쉬고. 그렇지."

사람이 진정하려면 제일 먼저 호흡을 정리해야 하기에 나는 아기한테 하듯이 숨을 쉬는 순서를 말해줬다. 아이의 눈은 여전히 초점이 없었지만 하라는 대로 잘 따라 했다. 어느새 불규칙한 숨은 사라져서 아이고, 잘했네, 하며 내 딸아이에게 하듯이 말했다.

"혹시 다른 어른은 없어요? 아빠라든지 형제라든지 친척이라든지…."

내 말이 끝나기가 무섭게 아이의 눈에 눈물이 차오르는 것이 보였다. 숨이 다시 거칠게 올라왔다. 나는 성급하게 아니, 아니, 하며 손사래를 쳤다.

"금방 형사들 올 거니까 지금 말 안 해도 돼요. 미안해요. 그만 말 걸어야겠다."

나는 지금쯤 집에서 꿈나라에 가 있을 내 딸아이를 생각했다. 최초 목격자이다 보니 가해자로 의심받을 수도 있을 상황에서 내 동정심은 하등의 쓸 곳이 없을 테지만 내 딸과 5,6살밖에 차이 나지 않을 내 앞의 아이가 신경 쓰였다.

"우리 엄마… 바로 죽었을까요? 아니면 고통스러워하다 죽었을까요…."

아이가 눈을 마주쳐왔다. 만들어내지 못할 공허함이 눈 속에 있었다. 생각지도 못한 질문에 아이를 그저 쳐다봤다. 아이의 미간이 찌그러졌다.

"내가 오기를 기다렸으면 어떡해요… 내가 얼른 와서 발견해주길 바랐으면 어떡해요…."

아이의 눈에서 울컥하고 쏟아진 물들이 감싸 안은 이불 위에

툭툭 털어졌다. 객관적인 판단을 해야 하는 담당 형사가 되었다면 이 아이의 눈물을 거짓이라 생각했었을까? 하지만 나는 현장 인수인계만 하면 이 사건에서 손을 떼게 된다. 그래서 아이에게 감정이 생기는 건 괜찮다고 속으로 생각했다. 동정해도 괜찮을 거라고, 지역 주민으로서 아이가 앞으로 잘 살아가게끔 돌봐줘야겠다고 생각했다.

"아저씨, 나 부탁이 있어요."

출발한 지 몇 분 되지 않았는데 아이가 대뜸 말했다.

"무슨 부탁?"

"나 이제 그 사람 볼 수 있을 것 같거든요."

아이가 말하는 그 사람이 누군지는 예상되었지만 짐짓 모르는 척 되물었다.

"그 사람?"

"엄마 죽인 사람요."

아이의 말에 옆을 보았다. 아이는 태연하게 앞만 보고 있었다. 대답할 말을 고르고 있는데, 아이가 이어서 말했다.

"인터넷에서 찾아봤는데, 저는 가족이 아니라서 신청도 못하더라고요. 면회 말이에요."

"면회를 가겠다고?"

"네. 묻고 싶은 게 좀 있거든요."

아이는 여전히 담요를 두 팔로 안고 앞을 보면서 말했다. 평온한 표정에서 내가 괜히 답답함이 일었다. 사건이 일어난 후만 하루가 안 되어 잡힌 가해자의 모습이 떠올랐다. 자신의 쓰레기장 같은 집에서 술에 취해 쓰러져 있던 놈을 끌고 나오는 강력팀을 지켜봤었다. 폴리스 라인을 치고 수색하는 현장을 지켰었다. 그곳에서 도구로 사용한 것으로 보이는 과도도 발견되었다. 놈은 아이의 집에서 도보 10분 거리에서 살고 있었는데, 집에서 과도를 가지고 아이의 집까지 가서 범행을 저지른 후 그대로 돌아왔다고 했다. 범행도구를 옆에 아무렇게나 두고 술만 마시다가 인사불성 된 놈을 그대로 끌고 나온 거였다. 수갑을 차고도 자신이 어떤 상태인지도 모르는 상태로 말이다. 쓰레기같이 질질 끌려 나왔었다.

"묻고 싶은 게 뭔데?"

아이가 안고 있던 담요 위에 얼굴을 묻었다. 이건 말하기 싫은 건가 싶어 더 묻지 않고 조용히 운전만 했다. 그 사이 고속도로로 들어와서 액셀을 더 밟았다. 속도를 내더라도 2시간은 족히 달려야 하는 거리라 열심히 가야 했다.

"후회하는지 궁금해요."

그대로 10여 분 정도 지났을까, 아이가 말을 꺼냈다. 얼른 무슨 후회? 하고 물으니 큰 한숨 소리를 낸다.

"엄마를 더 이상 못 보게 된 현실이요. 엄마가 안 만나줘서 그랬다고 했는데, 그래서 영원히 못 보게 되었잖아요."

나는 아이의 말에 대답할 말을 또다시 결정하지 못해 앞만 봤다. 범인은 기자들 앞에서 보고 싶은데 안 만나주니까 속상해서 그랬다며 울었었다. 지구대에서 뉴스를 보면서 동료들과 얼마나 험악한 욕을 해댔는지 모른다. 덕분에 한동안 정신없이 바빴기도 했다. 이 조용하고 안락한 동네를 순찰을 강화하고 인력을 보강해야만 하는 동네로 만들어버렸으니까.

"죄송하지만, 아저씨가 같이 가 주실 수 있을까요?"

옆을 보지 않아도 아이가 고개를 내게로 돌린 것이 보였다. 고민스러웠다. 아이에게는 분명한 트라우마가 있다. 엄마를 잃었고 현장을 목격했고 숨도 제대로 못 쉬는 상태에서 진술하며 두 번이나 쇼크가 왔다. 주변의 시선이 버거워 학교도 그만둔 아이였다. 다음 임차인을 구하지 못한다는 집주인의 말에 엄마가 쓰러져 있던 그곳에서 여전히 살아가는 중이기도 했다. 그런 아이에게 범인을 만나게 해줘도 될까? 아직 일 년밖에 지나지 않은 상처는 여전히 벌겋게 속살을 내놓고 있을 텐데, 더 상처가 크게 벌어지는 일이 되진 않을까 고민스러웠다.

"저는 아저씨를 만나서 정말 다행이라고 생각하고 있거든요."

내가 대답하지 않고 있자, 아이는 다시 말을 꺼냈다.

"지구대에서 자게도 해주고, 밥도 사주고, 우리 집에 자주 들려주고, 학교 그만둘 때 같이 가주고, 아르바이트도 하게 해주고. 다른 경찰들은 쉽게 그러지 않는다는 거 알고 있어요. 그래서 엄청 고맙게 생각하고 있어요."

한 번도 하지 않았던 말들에 나는 괜히 쑥스러워져서 피식 웃었다.

"아저씨가 오히려 고맙지 뭐. 잘 살아주고 있으니까. 안 그랬으면 아저씨가 엄청 신경 쓰였을 거야 내내."

나는 아이가 쓰는 단어를 빌어 말했다. 아이는 엄청, 이라는 말을 자주 쓰기도 했다.

"아저씨가 엄청 좋은 분이라서 그래요."

아이가 장난스럽게 까르륵 웃었다. 언젠가부터 밝아진 모습을 보여줘서 다행이라 생각했었지만 오늘처럼 소리 내서 웃는 경우는 없었기에 기분이 새로웠다.

"그러니까 괜찮아요. 그 사람 만나는 거요."

이내 웃음을 멈춘 아이가 밝게 말했다. 나도 웃음을 거뒀다.

"한 번쯤 만나야 한다고 생각해요. 그 사람 어차피 15년 뒤에 나오잖아요. 아니 이제 14년인가. 암튼, 내 얼굴 기억하라고 하고 싶어요."

"아니 왜?"

나는 당황스러워서 물었다. 안 그래도 범인이 다시 세상에 나온다는 것 자체가 불안했는데, 그 범인에게 자신의 얼굴을 기억하게 한다니. 의도를 알 수 없었다.

"그 아저씨 출소하면 65살이더라고요? 저는 32살이고요."

아이는 소리 나게 침을 삼켰다.

"그때 마주치게 될 일이 생길지 모르겠지만 보여주고 싶거든요. 나는 당신 때문에 망가지지 않았다는 것을."

운전을 하고 있어 아이의 표정을 명확하게 볼 수는 없어도 아이가 삼키는 감정이 원망만은 아니라는 것이 느껴졌다. 내가 아이의 마음을 다 알 수는 없을 테지만, 얼마나 심장이 긁혔을까 안쓰러웠다.

"사실 처음에, 한동안은 복수하고 싶었거든요. 늙어서 출소하면 나보다 힘은 약하겠지. 그럼 사는 곳을 알아내서 찾아가야지. 어떻게 죽일까, 어떤 방법으로 죽일까. 속으로 별의별 생각다 했었어요. 근데 너무 힘들더라고요."

한산한 고속도로를 급하게 달리느라 차 밖의 스치는 바람 소리가 거세게 들리는데도, 아이의 말이 한 글자 한 글자 귀에 눌러 담겼다. 복수할 방법을 생각하면서 스스로를 몰아세웠을 시간들을 지나오면서 결국 내려버린 결론인 거였다.

"학교 그만두던 날 결심했어요. 나는 더 이상 내 스스로 내 인생을 망치는 일은 하지 않겠다. 엄마가 그걸 원할 것 같기도 하고요."

나는 대답 없이 그저 끄덕이기만 했다.

"그 사람이 밉지 않다는 건 아녜요. 마음으로는 천 번도 넘게 죽였어. 근데 더 이상 그 사람한테 내 인생 휘둘리는 짓은 안 하려고요. 진짜로 결심했어요."

나는 아이를 슬쩍 다시 보았다. 아이의 표정은 굳어 있었지만 말투는 활기찼다. 다행이구나 싶었다. 그 사이에 참 많은 생각들에 휩쓸렸겠구나, 혼자 마음을 다잡느라 많은 괴로움을 이겨냈겠구나 싶어 속상하기도 했다. 원망과 좌절에 휩싸여 자신을 놓아버리는 건 쉬울 거였다. 하지만 그 원망을 밟고 올라서는 건, 더 이상 끌려다니지 않겠다고 결심하는 건 그 어떤 어른에게도 쉽지 않은 일이었다. 심지어 1년의 짧은 시간 동안 말이다. 내가 아이의 부모였다면 정말 자랑스러울 만한 튼튼한 마음이었다. 옆에서 응원해 주고 계속 지켜봐 주는 사람이 되어야겠다는 생각이 다시 한번 들었다.

"지금 집에 사는 건 괜찮아? 계약이 언제까지지?"

"연장했어요, 아저씨."

"응? 왜?"

"누가 우리 집에 들어오고 싶어 하겠어요. 사람 죽었다고 소문 다 났는데."

아이의 말은 사실이었지만 그럼에도 이해는 되지 않았다. 월세였기 때문에 계약일만 지나면 임대인에게 보증금을 요구할 수 있는 상황이었다. 임대인을 배려할 필요는 딱히 없다고 생각해서 그 집에 계속 살겠다는 아이를 쉽게 이해할 수 없었다.

"아니 그래도… 무섭지는 않아?"

아무리 가족이었더라도 마음이 편하지 않을 것이라 생각했다. 아이는 사건을 목격했고 엄마가 쓰러져 있던 화장실은 더더욱 들어가기 힘들 것 같았다. 그런데 아이는 고개를 힘차게 저었다.

"괜찮아요. 오히려 엄마의 영혼이 와주면 좋겠다 생각하는걸요. 근데 안 올 것 같아요."

아이는 티가 나게 한숨을 쉬었다.

"아마 엄마 성격에는 자신에게 고통스러웠던 장소라 오지 않으려 할 거예요. 엄마는 힘든 일 있으면 피하는 걸 선택하는 사람이었거든요."

나는 그렇구나, 라는 대답밖에 할 수 없었다.

"그래서 봉안당도 이렇게 힘들게 찾아가는 거잖아요. 앞으로도 계속 그래야 할 것 같고."

말을 끝낸 아이가 푸흐흐, 하는 웃음소리를 내었다.

"나 좀 이상한 애 같죠."

"아니야, 뭐가 이상해. 기특하지."

"그래요? 내가 기특해요?"

"네가 오롯이 네 두발로 꿋꿋하게 잘 서 있는 거 같아서 보기 좋다, 아저씨는."

진심이었다. 이런 아이가 어디 있을까? 내 말에 아이가 고개를 돌려 나를 보더니 씩 하고 웃었다. 나도 같이 입꼬리를 올려주고 이내 운전에 집중했다. 아이는 내가 생각하는 것보다 빠르게 회복하고 있었다. 회복이라는 말이 맞을지 모르겠지만 쓰러져 있는 시간은 길지 않았다. 이제 만으로 17살 정도인 아이였다. 나라면 분명 괴로움에게 영혼을 내주었을 것이다. 아무리 생각해도 신기하고 대견했다.

"정신을 차리지 않으면 죽을 것 같았거든요.

혼자 진지한 생각들에 빠져 있는데 아이가 대뜸 말했다. 무언가가 내 머리를 세게 친 듯 놀라서 나도 모르게 아이를 돌아보았다. 아이가 아저씨 위험해요, 해서 다시 운전에 집중하긴 했지만 갑자기 눈물이 울컥 올라와 마른침을 연신 삼켰다. 내 마음을 아는지 모르는지 아이는 다시 말을 하기 시작했다. 방금과는 다른 시시콜콜한 이야기들이었다. 편의점에서 낮 2시에 들어온 손님이 술에 잔뜩 취해 있었는데 자신에게 아이스크림을 쥐여 주고 나갔다는 이야기, 사탕을 훔쳐 가던 아이를 보게 되어서 자신의 체크카드로 결제를 대신했다는 이야기, 매일 같은 시간에 컵라면을 먹으러 오는 남자아이 이야기 등을 늘어놓았다. 아이의 이야기에 마음이 어느새 가라앉아 중간중간 호응도 해주며 목적지를 향해 갔다. 그러다 보니 2시간 거리가 금방이었다. 봉안당에 도착해 시동을 끄자 아이가 뒷자리에 담요를 내려두더니 자신이 가져온 쇼핑백을 들어 올렸다.

"으, 아저씨, 저 제사는 처음이라서 너무 떨려요."

아이는 어깨를 부르르 떨었다. 괜히 추워 보여서 담요를 다시 들어 아이의 어깨에 둘러줬다. 아이는 스르르 웃었다.

"춥다는 이야기는 아닌뎅."

아이가 장난스레 말하더니 담요를 여몄다. 나는 뒷자리에서 어제 사 놓은 정종을 꺼냈다. 시계를 보니 오전 11시가 조금 넘은 시간이었다. 아이의 엄마가 있는 봉안당은 약식 제사를 지내는 제례실이 있었고 예약도 되는 곳이었다. 예약을 12시로 한 터라 시간이 남게 되어 아이의 엄마가 모셔져 있는 곳으로 먼저 가기로 했다. 실내로 들어가니 입구에 경비실이 있었고 이내 큰 로비가 보였다. 우리가 들어가니 작은 창문으로 얼굴을 내미는 경비원에게 목례를 하고 로비를 통해 앞에 바로 보이는 복도로 들어갔다. 밖은 바람이 많이 불어도 낮 시간이 되어서인지 추운 기운이 적었는데, 실내가 오히려 찬 기운이 들었다. 재킷을 입은 나도 추운 느낌이어서 아이에게 담요를 둘러 주길 잘했다는 생각이 들었다. 복도에 들어서니 아이가 성큼성큼 앞서간다. 난 아이를 따라서 오른쪽에 있는 세 번째 방으로 들어갔다. 책장처럼 네모난 유리장들이 삼면을 모두 채우고 있었다. 정중앙에는 등이 없는 동그랗고 큰 소파 한 개가 놓여있었다. 복도에서는 사람이 몇 돌아다녔지만 아이의 엄마가 있는 방에는 아무도 없었다. 아이는 익숙하게 자신의 엄마 앞으로 가서 쪼그려 앉았다. 아이의 엄마는 맨 아래 칸에 있었다.

"엄마, 경찰 아저씨랑 같이 왔어."

아이는 쇼핑백에서 물티슈를 꺼내더니 한번 쭉 닦으면서 말했다. 그러고는 쇼핑백에서 또 작은 꽃을 꺼내더니 앞 유리에 붙였다. 나는 뭘 하기도 애매해 방 가운데에 있는 소파에 살짝 앉았다. 왠지 방해하면 안 될 것 같아 아무 말 없이 아이가 하는 것을 지켜만 봤다. 유리창 안 유골함 옆에 전시된 사진에는 아이와 함께 웃고 있는 내 또래의 여자가 있었다. 몇 개의 사진이 있었지만 모두 아이와 둘만 찍혀 있었다. 표정은 모두 밝았다.

"여기 계신 분들 중에 엄마처럼 돌아가신 분이 또 있을 수 있을까요?"

한참을 유리를 쓰다듬던 아이가 내 옆에 와 털썩 앉더니 말했다. 나는 어깨를 들썩하며 글쎄, 하고 대답했다. 아이는 엄마에게서 시선을 떼지 않고 말했다.

"없으면 좋겠네요. 나 같은 사람이 또 있다고 생각하니까 너무 슬퍼."

말하는 아이를 보았다. 아이의 눈에서 눈물이 도르르 흐르는 것이 보였다. 나는 계속 들고 있던 짐을 바닥에 내리고 재킷 안에서 손수건을 꺼내 아이에게 내밀었다.

"맞아. 너처럼 이렇게 빨리 기운 차리는 사람은 없을 테니까. 없으면 좋겠다."

나는 위로라고 한 말이었는데 아이가 갑자기 으허헝, 하는 소리를 내며 두 손으로 얼굴을 감쌌다. 내 말이 뭔가 잘못되었나 싶어 방금 한 말을 되새겼다. 뭐지, 뭐가 아이를 더 슬프게 한 거지. 이유를 모르겠어서 그저 굳어버렸다. 우는 아이에게서 담요가 스르르 내려와서 다시 제대로 덮어주는 것 말고는 할 수 있는 것이 없었다. 내 딸이라면 안아라도 주었을 텐데 그럴 수는 없으니 담요 끝만 잡고 여며줬다. 아이는 한참을 울었다. 그러더니 내가 줬던 손수건을 펴서 자신의 얼굴을 벅벅 닦았다. 나는 아이의 행동을 계속 보기만 했다.

"아저씨 지금 몇 시예요?"

시계를 보니 11시 30분 정도였다. 한참을 울었다 생각했는데 몇 분 지나 있지 않았다.

"10분 전까지 오라고 했으니까 아직 시간 좀 있어."

"죄송해요. 안 울라고 했는데 그냥 쏟아졌어요."

"아니야, 당연해. 하고 싶은 대로 해."

아이는 자신이 가져온 쇼핑백에서 물티슈를 꺼내더니 코를 풀었다. 그리고 내가 준 손수건을 잘 펴서 네 번 정도 접더니 쇼핑백 안에 넣었다.

"빨아서 돌려 드릴게요. 아저씨네 아주머니가 나 때문에 빨래까지 하시는 건 죄송하니까요."

아이는 다시 물티슈를 꺼내더니 흥, 하고 소리 내어 코를 풀었다. 이 와중에도 세심하게 타인을 배려하는 아이가 슬퍼졌다. 빨갛게 된 얼굴로 훌쩍거리는 아이를 보다가 잠시만 있어, 하고는 복도를 통해 로비로 나갔다. 자판기에서 물 하나를 사서 돌아와 뚜껑을 딴 생수병을 아이에게 내밀었다. 아이는 부은 얼굴로 부시시하게 웃더니 물을 받아 마셨다.

제사는 금방 끝났다. 가져온 음식을 봉안당에서 제공해 준 종이 그릇에 담고 있으니 제사를 도와주는 직원이 아이에게 구비되어 있던 향을 피우라고 했다. 이내 작은 종이컵을 쥐여주고는 내가 사간 정종을 세 번 나누어 따랐다. 아이는 시키는 대로 향 위에 잔을 돌리고 두 번 절하고 일어났다. 내게도 권해서 나도 절을 하고 일어났다. 아이를 지켜주세요, 하고 속으로 빌었다. 내가 잘 해주겠다 하는 다짐은 굳이 할 필요 없다고 생각했다. 5분 정도 앉아 있는데 직원이 와서 정리해야 한다고 말했다. 그 말에 아이가 엄마 같게, 하고는 음식을 가져온 통에 도로 담았다. 나도 정리하는 걸 돕고 제례실을 나와 시간을 보니 30분도 채 지나 있지 않았다. 직원이 음복은 휴게실에서 한다고 안내해 줘서 아이와 함께 휴게실로 갔다. 아이가 한 음식을 처음 먹어 보는 것이었는데 꽤 맛있었다. 차 안에서와 달리 아이가 말이 적어져서, 괜히 한 번씩 적막해질 때마다 묻지도 않았는데 짐짓 밝은 톤으로 계속 맛있다고 말해주었다. 아이는 계속 희미하게 웃었다.

봉안실 로비 자판기에서 아이와 함께 커피 한 잔씩을 뽑아 들고 봉안당을 나섰다. 어느새 한낮의 햇빛은 아침에 느낀 시린 공기를 잊게 했다. 그리고 실내보다 따뜻했다. 햇빛을 받으면서 아이와 천천히 차로 돌아왔다. 차 안은 더 포근했다.

"여기 자주 와?"

커피를 다 마시고 출발하려고 시동만 켜둔 채 아이에게 물었다.

"한 달에 한 번쯤이요? 버스비도 비싸가지고요."

아이는 커피를 후후 불면서 후루룩 소리를 내며 마셨다. 여기 커피 맛있는 것 같아요, 하면서 연신 마셔 댔다.

"아 맞다. 아저씨 저 내년에 수능 보려고요."

"뭐? 갑자기? 검정고시부터 봐야 하는 것 아냐?"

자퇴한지 얼마 안 되었는데 이렇게 빨리 다음 단계를 준비한다는 것이 놀라워 물었다.

"맞아요. 근데 올해는 이미 시험이 끝났더라고요. 내년 초에 검정고시 보고, 내년 말에 수능 보고. 이게 목표예요."

"너무 급한 거 아니니? 1,2년 늦는다고 뭐라 할 사람 없어."

"알아요. 그래도 대학까지 다른 아이들한테 뒤처지고 싶지 않아요. 아오, 차라리 일찍 자퇴할 걸 그랬어요. 올해 검정고시 보면 타이밍 딱 좋았는데."

여름방학이 시작되는 날 아이가 지구대에 찾아와서 학교 그만두고 싶다고 울던 그때가 생각났다. 방학 때 내내 집에 있어야 하는데, 너는 어떡하려고 그러냐 묻는 선생님이 괴롭다고 했다.

친구들의 팔자 눈썹과 말 없는 위로가 너무 고통스럽다고 말했었다. 그래서 개학하는 날 아이와 함께 학교를 방문했었다. 법적으로 부모님이 동의해야 하지만 가족이 없는 아이에겐 아이의 결정만이 중요했다. 나는 후견인으로 사인하고 연락처를 남길 뿐이었다.

"그래도 살살해. 일도 하는데 공부까지 하면 너무 힘들겠다."

"저 공부는 꽤 했어요. 엄마가 나 공부하는 거 좋아했거든요. 그래서 그날도 학원 갔다 와서 늦게 발견하…, 암튼. 검정고시 문제집 풀어봤는데 별로 어렵지 않더라고요. 그래서 수능 준비하면서 해도 될 듯해요."

아이는 빈 종이컵을 구기더니 내 종이컵을 들여다보았다. 나는 커피가 남아있었다.

"인터넷 찾아보니까 고아에게 장학금 주는 학교가 많더라고요. 어쩌다 보니 엄마가 준 선물 같아요. 엄마가 없어서 좋은 적은 한 번도 없지만."

아이는 고아, 라는 단어를 힘주어 말했다. 자신의 상태를 일부러라도 자각하려는 듯 보여서 마음이 쓰렸다. 사람은 회피 방법 중 하나로 자신의 고통을 부각시키는 방법을 택하기도 한다고 한다. 남이 말하는 고통은 칼날이 되어 나를 찌르지만, 내가 말하는 고통은 자해처럼 보여 상대방의 공격에 힘을 빼주기도 하기 때문이다. 아이는 일부러 아무렇지 않은 척하려고 노력하고 있었다. 아까는 기특하기만 했던 모습이었는데, 나의 착각이 멋대로 아이를 기특해했던 것이 미안해졌다. 미안한 마음과 안

쓰러운 기분이 가슴 안쪽을 답답하게 해서 남은 커피를 목구멍에 털어 넣다시피 삼켰다. 그러자 아이가 손을 내민다. 나는 빈 종이컵을 아이에게 내밀었고 아이는 차 문을 열고 나가 봉안당 입구에 있는 쓰레기통으로 달려갔다. 돌아오던 아이가 나와 눈이 마주치자 씩 하고 웃는다. 새로 피어나는 꽃처럼 말간 얼굴이었다. 네가 진심으로 웃었으면 좋겠다. 나는 아이를 따라 입꼬리를 올렸다.

산판 일

오
정
애

아버지는 겨울에는 산판 일을 하러 다녔다. 그곳에서 숙식하시며 지내셨다. 아버지가 있는 곳에 가려고 여럿 마을을 지나 어머니 심부름하러 갔다. 쌓인 눈은 발목을 덮었고 퐁퐁 빠졌다. 그날은 함박눈이 거세게 쏟아졌다.

어느 마을의 샘 곁에 도착했을 때는 하늘이 맑은 햇살이 들었다. 훤히 잘 보이는 시야로 걷기도 수월했다.

우물터에 예쁘장한 소녀가 혼자 서 있었다. 눈빛이 따스하니 느낌이 좋았다. 그는 나를 보며 엷은 미소를 지었다. 그를 보며 잠시 멈칫했다. 내게 말을 걸었다.

"어디 가는 거야?"

"심부름."

손에 들고 있는 초콜릿을 건네며, "이거 먹어."

나이가 비슷한 또래였다. 서로 이름은 모르지만 나에게 호의를 베풀었고 나는 그것을 말없이 받았다.

멈춰 섰던 발걸음을 몇 발짝 걸으며 뒤돌아보니 그는 손을 흔들어 주었다.

"고마워." 말하고 가던 길을 걸었다. 초콜릿을 먹으며 논두렁 밭두렁 길을 지나고, 여러 마을을 지나자 도착했다.

도착한 그곳에는 함박눈이 내렸다. 입구에는 조금 경사진 언덕길이었고 산판 일하는 분들이 숙식하는 건물이 보였다.

눈보라에도 나무를 베고 나르고 돈을 벌려간 동네 분들이 여럿 있었다. 산당에 사는 북님이 아버지도 있었고, 미례 큰오빠도 산판 일하는 데 있었다.

넓은 산등성이 골짜기는 민둥산을 훤히 드러내어 커다란 통나무가 베어져 허허벌판으로 설렁했다. 베어진 붉은 통나무들은 크기에 맞춰 곳곳에 단정히 진열되어 쌓여 있었다.

소나무의 겉껍질은 붉었고 단단한 거북등처럼 생긴 퇴엽층을 이룬 소나무는 꼬불꼬불하니 흐르는 계곡 같은 길이 있었다. 베어진 소나무는 그만큼 오래된 나무였다.

1미터 크기로 잘라놓은 소나무는 이천 개, 정도는 될 듯 보였다. 차곡차곡 통나무로 쌓여 있는 산에는 통나무 천지였다.

산에서 울려 퍼지는 기계톱 소리는 웨에 에엥 웨에엥 길게 짧게 울리는 것이, 한여름에 매미가 기계톱을 붙잡고 "소나무 베지 마라. 참나무 베지 마라." 애원하는 소리처럼 애처로웠다. 가까이서 들으니 덩덩거리는 엔진소리는 경운기에서 울리는 소리 같았다.

기계톱에서 울리는 시끄럽던 소리는 멈추었다. 휘날리는 눈송이는 멈췄고 햇살이 내렸다. 산에서 일하는 인부들이 쉬는 시간인가 보다.

벌목공 손에서 베어진 소나무는 숲속에 길게 누운 채 푸른 솔가지가 바람결에 찰랑거렸다.

"아버지, 어머니가 집으로 오시래요."

"조금만 기다리거라."

아버지가 갈 채비를 서두르자, 어느 분이 아버지를 불렀다.

"자네, 이리 와서 이것 좀 드시게나." 아버지에게 권하는 건 막걸리 한 사발이었다.

"자네, 일하기 힘들 제." 아버지는 오징어 다리 하나 손에 집으며 아저씨에게 말했다.

"막걸리 한 잔이 꿀맛이구려."

"은혜야, 이거 하나 먹어봐라."

아버지는 오징어 몸통 세 가닥과 오징어 다리 두 가닥을 손에 들려주시며 "너도 여기로 오느냐 힘들었지."

둥글게 맺힌 눈깔사탕 같은 오징어 다리 한 개를 먹으며 나머지는 잠바 주머니에 넣었다.

"몇째 딸이오. 몇 학년이오."

"시째 딸 인디, 국민학교 6학년이오."

"참하게도 생겼구먼이라. 아들만 넷 인디, 차후에 며느리 삼고 싶네그려."

"하하하, 그러세."

"아따, 엔진 톱을 평소 Echo 45cc에 20인치 바를 장착하고 작업하는디, 힘이 많이 달리는 구만이라." 어느 아저씨 말에, 막걸리 손에 들고 단숨에 들이키더니, "카, 좋구려 좋아." 또 다른 아저씨가 말하였다.

"새로 구입한 65cc, 24인치 바 엔진 기계톱을 썼더니, 3배쯤 이나 빨리 잘려 나간단 게랴."

"기계톱이 나무에 박히지 말아야 할 터인디, 저번에 둥치 큰 소나무에 끼여서 기계톱을 버려야 했구먼."

나무가 잘 베어지게 톱날을 가는 아저씨는 쓱 쓱 스으 스으 스으 낫을 숫돌에 갈듯이 긴 쇠꼬챙이로 톱니 하나씩을 세심하게 갈았다.

"한참을 베다 보면 톱날이 무뎌져서 잘 안 베어지니 날카롭게 연마해 주는 것이제."

"이렇게 갈아줘야 나무가 잘 베어진단 게. 그래야 톱날이 안 망가져요."

베어진 그루터기 나무 밑동은 일자 선이 새겨진 반달 모양이었다. 한쪽이 더 넓었다. 그걸 손가락으로 만지작거리는 것을 보고 주문 없는 해설까지 곁들이셨다.

"나무도 먼저 자르는 부분이 넘어가는 방향이여. 나중에 자르는 부분이 넘어가게 하는 방향이라오."

권색 옷을 입은 아저씨가 그 말에 양념을 넣었다. "그렇구먼이라."

"넘어질 방향으로 3분의 2 정도로 먼저 잘라줘야 혀. 반대 방향으로 옮겨서 3cm에서 5cm 정도로 나머지 부분을 잘라주는 거제."

"나무 베는 것도 사람 사는 세상처럼 규칙 있네그려." 여러 사람의 대화는 서로 호흡처럼 이어갔다.

"자연이나 인간이나 비슷하제."

다시 말하자면, "나무가 넘어지는 쪽을 먼저 벤 후에 남은 반대쪽을 베어야 한단 게."

구수한 언어로 말하는 아저씨들의 대화는 기계톱에서 나오는 소리만큼이나 생동감 있는 목소리가 싱싱했다.

밖에는 커다란 철통에 장작불이 타고 있었다. 하늘은 다시 펑펑 쏟아지는 눈발로 일하는 사람들은 방으로 들어왔다가 나가길 반복했다.

나는 모닥불을 쬐었다. 아버지가 주신 오징어 다리 하나를 꺼내 입안에서 오물오물 침샘으로 부드럽게 자극했다. 함박 눈송이가 꽃처럼 아름답게 반짝였다.

"은혜야, 어서 가자."

아버지와 함께 집으로 향했다. 한참을 걸었다. 밭둑길을 걸어

올 때쯤 아버지의 얼굴을 올려다보니 평온한 모습이었다. 아버지는 말없이 걸었고 가벼운 발걸음이었다.

남은 오징어 몸통 세 가닥을 하나씩 먹으면서 걸었다. 아버지를 앞질러서 눈길을 신나게 걸었다. 보드득보드득 귓가에 들리는 눈 밟는 소리에 기분이 상쾌했다.

한참을 걸어 온 중간지점에서 아버지에게 말했다.

"아버지, 먼저 가세요."

뒤에서 주춤거리는 나에게 아버지는 "어서 오니라." 하시며 걸으셨다.

밭두렁에 있는 엉성한 억새 풀숲에서 소변을 보고, 저만큼 걸어가시는 아버지를 보며 뛰어갔다.

마을로 가까이 오는 산길 숲에서 산새가 짹짹거렸다. 산길로 우거진 넓은 한길에서 참새떼 다섯 마리는 길 안내자 되어 하늘로, 땅으로 오르락내리락했다.

아버지와 샛길 따라 논밭 둑을 밟으며 여러 마을을 지나 산길 따라 집으로 돌아왔다.

어머니는 그날 돼지고기를 삶아 기름기 빠진 보쌈으로 아버지에게 대접하셨다. 추운 데서 고생하신 아버지를 위한 어머니의 마음이었다.

아버지께서 지게에 참나무를 메고 오신 날, 어머니는 "은혜야, 버섯을 키우려고 돈 주고 사 온 거란다."

"우와! 나무에서 버섯이 생겨요."

아버지는 참나무를 뒷산 곁으로 옮겼다. 소나무 아래에다 참나무끼리 서로 머리를 맞대어 세워 놓았다. 참새가 놀다 쉬어가는 쉼터의 공간이었다.

길게 자른 참나무는 오천 원, 칠천 원 가격에 사 오셨다. 부모님은 그러한 참나무를 사다가 뒷산 곁에 세워 놓고 버섯을 키운 적이 있다.

엄지손가락만 한, 작은 버섯이 군데군데 피어 앙증스러웠다. 뿌리도 없이 잘린 나무에서 생명이 돋아나다니 신기했다. 어머니는 아담한 바구니에 버섯을 따서 호박을 넣은 된장국으로 끓여 주셨다. 고추와 표고버섯을 살짝 볶아 밥상에 올리기도 했다. 버섯의 향긋한 냄새로 고기처럼 쫄깃한 식감이었다.

산판 일하는 것을 보았다. 아버지와 어머니가 집 가까운 산에서 산일 할 때 구경하러 갔었다. 산당을 지나서 한참을 걸어간 산길쯤에 산숲을 들어가니, 커다란 통나무가 이곳저곳에 쌓여 있었다.

소나무 가지는 솔가지끼리 차곡히 쌓여 있었다. 산은 알몸으로 허허벌판이었고, 깊은 골이 팬 경사진 산이었다.

저렇게 험한 언덕이 있는 나무를 어찌 손질했을까? 궁금했었는데, 그날 호기심이 풀렸다.

고량진 산 저쪽 편에서 일하는 인부들이 움직였다. 그곳은 경사진 언덕이었고 주변에 있는 작은 나무들을 베고 있었다. 베어진 나무 주변을 정리하는 사람들로 손놀림이 바쁘게 움직였다.

그들은 공간을 확보하고 나서 큰 나무를 베었다.

"오십 미터 이내 접근하지 마시오." 감독관 아저씨가 소리쳤다.

"모두 오십 미터 거리로 물러가 있으시오."

나무의 키보다 더 멀리 사람들이 있어야 한다고 소리쳤다.

"소나무 키보다 더 물러들 나시오." 넘어가면서 벌목공이 있는 데로 튀기도 한다며 안전을 전했다.

이이잉엥이잉엥 기계톱이 시끄럽게 울더니 쩌어쩍시이시씨 나무 쓰러지는 소리가 크게 났다.

소나무는 강한 바람 소리와 쓰러지는 나뭇결 소리로 압력의 무게까지 겹쳐 바닥에 닿는 순간 뚝 뚜 뜨뜩 투트두툭 시이시씨, 쿵쿵 울렸다.

누군가 놀래서 나자빠지는 듯한 남성의 목소리가, 소나무 숲에서 구조 요청하는 소리가 들렸다.

"아아 앗, 사람 살려." 쓰러진 소나무 가지 사이에서 인부 한 사람이 다급히 소리쳤다.

소나무가 쓰러질 쪽으로 예상한 것과는 달리, 바람결이 미치는 주변 상황으로 인해 넘어지는 방향이 틀어져, 사고가 났다.

멀리서 있는 일꾼들이 웅성거리며 우르르 달렸다.

사람들이 몰려가 솔가지의 솔잎 사이를 들쳐 부상자를 끄집어내었다.

그는 멍하니 넋을 놓고 앉아 있었다. 옷에는 피가 묻어 스몄다. 그가 아픈 곳의 가려진 옷을 걷어 올린 살에서는 피가 흘렀다. 그는 정신을 가다듬고 일어서서 움직였다. 걷는 것을 보니 크게 다친 곳은 없어 보였고, 가벼운 타박상 정도로 무릎과 팔에서 피가 났다.

그 남성은 놀라서 겁이 났는지, 집으로 하산했다.

사람들은 집으로 가는 그에게 당부했다.

"그래도 병원은 가 보시게."

"얼마나 놀랐는가."

"어이, 약 바르고 몸도 잘 챙기시게." 한 마디씩 위로와 걱정으로 대했다.

남겨진 인부들은 일하기 시작했다. 기계톱으로 벤 나무들은 긴 나무로 이용해 줄자처럼 재어 규격에 맞춰 표시했다. 표시된 하얀색 선을 일정한 크기로 1미터 길이만큼 잘랐다.

아버지는 여러 명의 아저씨하고 통나무를 한쪽으로 모아 정리하는 일을 하셨다. 통나무를 평지로 굴려 모으고 일곱 명쯤 되는 사람들이 양쪽에서 통나무를 들어 올려 손수 쌓았다. 조금이라도 경사진 곳은 통나무가 굴러가는 것을 방지하려고, 안전을 위한 쇠막대기로 양쪽에 단단히 고정해 놓고 통나무를 쌓았다.

어머니는 몇 명의 아주머니하고 나뭇가지 정리를 하셨다. 가까운 곳에 산일이 있을 때면 부모님은 농사일 말고도 겨울에도 돈을 버셨다.

아버지와 어머니께서 산일하고 오신 날, 굵직한 나무는 겨울용 난방 뗄감으로 팔린다고 어머니가 말해줬다. 그때 단단한 낙엽송 나무와 질 좋은 소나무는 집 지을 때 대들보의 기둥 역할

로도 쓰일 거라고 은혜는 생각했다.

하루는 아버지도 어머니도 인부들도 없었다. 다른 장소로 이동한 것 같았다. 그곳에는 베어진 통나무들이 쌓인 채 자리하고 있었다. 솔가지는 여인의 단정히 빗은 머릿결처럼 바지런히 쌓여 있었다.

그날 햇볕은 따스하게 비쳤지만 칼바람이었다. 추워서 볼이 시렸다. 손발과 몸이 후들후들 떨렸고 배 속의 위장은 한기로 진동했다.

칼날 같은 강한 바람 소리를 들으며 산에서 내려와 산길 따라 집으로 향했다.

직장을 다니고, 사형제 중에 차남하고 결혼하여 시댁과 친정을 오가던 시절이 언제였던가? 은혜는 생각했다.

이젠 그 추억도 까마득하구나.

흐르는 구름 편에게 부모님의 안부 편지를 새겨서 하늘로 띄운다.

"구름아, 잘 전해줘."

아버지, 어머니의 얼굴을 떠올려 지난날을 회상한다.

어머니 돌아가시고, 남동생이 1년 정도 아버지를 모시다가, 요양원에서 3년 정도 계셨다. 요양원에서 아버지는 병원 응급실로 옮겨졌다.

몇 차례 그래 왔었기에 이번에도 괜찮아지겠지. 생각하고 남편하고 친정아버지가 계신 병원을 찾았다.

병원에 있는 응급실로 면회를 들어가니 아버지는 주무시고 계셨다. 손발이 침대에 묶어져 있었고 손은 부어 있었다. 아버지의 체구는 아이처럼 작아졌고 삐쩍 말라 뼈만 앙상했다. 다리는 제대로 펴지도 못해 베개로 끼워져 있었다. 부은 손을 잡고 마음 깊이 기도했다.

"친정아버지 대장암 치료와 복수에 물 찬 것, 폐까지 암이 퍼진 것, 하나님 치료해 주세요. 치료 잘해 줄 수 있도록 도와주시고 천군 천사가 지켜 보호해 주시고 하나님 치료해 주세요. 한번 택한 자녀 버리지 않으시는 하나님, 육신의 아버지 "오종채"씨 기억하여 주셔서, 내부 질병과 외부 질병을 치료해 주셔서 건강하게 치료받아 고통 없이 평안하게 하나님 나라에 천국 갈 수 있도록 도와주세요. 자녀들도 오가는 소식들이 좋은 소식으로 오갈 수 있도록 마음의 평안을 주세요. 예수님 이름으로 기도드립니다. 아멘."

아버지의 손을 만지며 기도를 마치자, 아버지는 눈을 뜨셨다. 친정아버지는 의자에 앉아 있는 나를 쳐다보고는 고개를 들어서 서 있는 남편을 쳐다보았다. 곧바로 간호사들이 드나드는 출입문이 있는 카운터 쪽으로 고개를 들어 쳐다보고는 근심이 있는 표정이었다.

남동생이 담당 간호사하고 크게 싸웠다고 들었다. 무슨 일 때문이었을까? 아버지의 병 치료 문제였지 싶다. 그렇게 친정아버지를 뵙고 온 것이 마지막 모습이었다.

며칠 전에는 가족 단체 카톡방으로 남동생이 친정아버지 소식을 전해왔다.

"아버지 몸 상태가 하루가 다르게 안 좋아지고 있네. 모두 그렇게 알고 있어요. 급박한 상황이 되면 병원에서 연락이 오겠지만, 계속 지켜보면 하루가 다르게 몸 상태가 안 좋아지는 게 보여. 얼마나 사실진 모르겠지만, 모두 마음의 준비는 하고 있어야 할 상황이야."

이번에는 "요양원으로 다시 가기가 힘든 것일까?" 은혜는 혼자 되물었다.

엊그저께 남동생한테서 전화가 왔다. 근심이 가득한 목소리였다.

"다른 때는 몸을 흔들면 움직였었는데, 흔들어도 아버지가 움직이질 않아. 간호사 말에는 아버지가 이번 주를 넘기길 힘들 것 같다고 해."

그때 남편하고 아버지를 방문했을 당시에, 응급실로 회진 오셔서 말하던 의사 말이 생각났다. 은혜는 친정아버지 침대 옆에 서 있었다.

의사 선생님께서 들어오셨다. 의사는 남편하고 나를 보더니 첫 마디는,

"방금 며느리가 와서 설명 다 듣고 갔는데요."

"관계가 어떻게 되세요."

남편이 나를 가리키며 "딸이에요." 말하고는 본인은 사위라고 말하지 않았다.

그때 의사가 친정아버지 병명을 설명해 주셨다.

"대장암이 온몸에 퍼져서 폐에까지 퍼졌어요. 배에, 복수에도 물이 찼어요." 말하고는, 그 의사는 "오종채, 어른 금식하라고 내가 간호사한테 지시시켰어요. 금식을 일주일하고 몸이 좋아지셨는데, 앞으로 어떻게 될지는 더 두고 봐야 알아요." 하셨다.

친정아버지는 그걸 견디느냐 얼마나 힘드셨을까.

병원에서 그동안 물, 수분 영양제 공급은 제대로 해 줬을까?

병원에서 늙으신 아버지를 굶겨 죽이는 건 아닌가? 하는 언짢은 마음에 가슴이 아렸다.

어머니 돌아가시고 몇 달이 지났다. 남동생은 광주광역시 가는 길목에 있는 요양원에서 아버지를 모셔 왔고, 남동생은 집에서 출·퇴근하면서 보살폈다. 그렇게 아버지가 드실 아침상을 차려놓고 출근했다. 남동생은 아버지가 점심을 스스로 찾아 드

시도록 밥솥에 있는 밥과 가스렌즈에 있는 국을 알려주었다.

시아버지가 집으로 온 것을 올케가 싫어하니, 남동생이 아침 저녁을 직접 손발이 되어 수고로이 감수했다.

아버지는 1년 후, 남동생 집에서 가까운 요양원으로 보내져야 했고, 남동생은 퇴근 후 요양원으로 매일 아버지를 찾아갔다.

요양원에 계시는 어느 분의 요양사가 남편하고 함께 아버지를 찾아뵌 날 나에게 말했다.

"아들이 참 착해요. 퇴근하고 하루도 안 빠지고 날마다 들려 요." 아버지 옆에 아들이 의자에 앉아 있는데, "네 엄마는 왜? 안 오느냐." 묻기에 "어머니는 돌아가셨어요."라고, 애달픈 목소리로 말하더라고 했다.

친정아버지는 88세로 2019년 12월 21일 토요일, 오전 09시 50분에 천국 여행을 가셨다.

어머니가 돌아가실 때 계셨던 그 자리, 안산에 있는 한도병원 장미실에서 삼일장을 치르고 입관했다. 발인은 12월 23일 월요일, 새벽 06시 장지는 전남 영광군 선영으로 향했다.

도착해서 친정아버지 영정사진을 선두로 하고 친정집으로 가족들의 행렬을 따랐다.

우리를 반기는 건 쓸쓸한 시골집 마당에 모여 있는 커다란 낙엽 뭉치와 친정집 돌담이 한 무더기씩 마당으로 내려져 있고, 마당이 좁아져 가는 걸 느꼈다.

친정집을 오랫동안 비워둬서 무너진 돌담 마당의 돌을 누가 제자리로 올려놓지 않아서이다.

친정어머니가 살아 계셨을 때는, 친정아버지도 시골집에 계셨고, 아버지는 작은 돌이라도 제자리에 주워 올려놓았기에 마당은 항상 깨끗하고 넓어 보였다.

4년 전에 어머니가 돌아가시고, 아버지는 요양원에 계시면서, 시골집 마당에는 오동잎 큰 낙엽으로 평상 平床 밑에 뭉쳐져 나뒹굴고 있었다.

아버지를 어머니가 계신 봉분 옆으로 모셨다. 산소로 친척들이 오셨다. 어머니 묘를 봉분할 때는 오지 않은 사촌 언니들도 작은아버지 봉분할 때는 선산에 있었다.

영광에서 과일 장사하신 사촌 언니는 아버지 봉분하시는 날, "어유, 잘 돌아가셨어." 또다시 30초 후쯤에 "어유, 잘 돌아가셨어." 그렇게 두 번이나 말했다. 그 말이 귀에 서운하게 들렸다. 친정 부모님이 돌아가셨을 때 작은 형부는 몸이 안 좋다며 장례식에 오지 않았다.

그날 큰 형부하고 올케와 여동생은 서울로 올라갔다. 올케는 다음날 사무실로 출근했다며 남동생하고 통화하고, 조카들은 "아빠 오늘 학교에 안 갔어요." 말하자, "학교에 가지 너희들 왜 학교에 안 갔냐." 다정스레 말을 주고받았다.

익숙한 음악 소리가 들렸다. "여보세요."

"언니! 아름이, 태준이 집 앞에서 내려 주고, 지금 우리 집으로 가는 중이야. 내일은 효정이 대학교 기숙사에 들러서 짐을 가져오려고 해. 효정이가 요즘 몸이 안 좋아서 알바도 쉬게 하고, 방학 동안 집에 있게 하려고 해."

여동생하고 통화하면서 "고맙다. 수고 많았다. 잘 들어가고 내일 잘 다녀 와. 저녁도 맛있게 해서 먹어라." 답례하고 휴대전화 단축키를 눌렀다.

남편은 친정아버지가 쓰시던 이불이며 옷을 텃밭에서 태웠다. 마당 길에까지 침범한 나뭇가지를 낫으로 자르고 마당을 깨끗하게 쓸었다.

"큰언니, 작은언니." 방에 있는 언니들을 불렀다. 대답이 없자, 방문을 열었다.

"언니, 무너진 돌을 우리 같이 올려놓자. 언니들 둘 다 나오세요."

나의 마음에서는 돌담을 주워 올려놔야 할 것 같았고, 오늘이 일을 해야만 했다. 내일은 우리들도 각자의 집으로 돌아가기에.

시골 친정집을 찾아가 며칠 머물러 있다 올 적마다, 부모님의 모습 속에서 집을 사랑하여 아끼고 가꾸고 다듬으신, 흔적들을 고스란히 나에게 보여 주셨기 때문이다.

큰언니는 방에서 나오지 않았다. 둘째 언니와 둘이 돌담이 내려진 돌을 주워 제자리로 올려놓았다. 남동생은 이리저리 왔다 갔다 하면서 볼일을 보았다.

아버지 영정사진을 들고 집 안팎을 돌 때는, 여기저기 빈집

흔적이 휑하니 나돌았었는데, 힘을 합쳐 깨끗하게 치우고 보니, 손수 정리 정돈한 사람들 손길로 인해 빈집이라는 느낌이 전혀 안 들었다.

이렇게 며칠 친정집에 머물러 있으니 옛 기억이 스친다. 아버지는 술을 좋아하셨지만, 젊어서는 어머니와 함께 오순도순 농사일을 성실히 하셨다.

아버지 젊으셨을 때는, 훤칠한 키에 외모도 훈남이셨다. 새벽부터 농사일로 들려서 낮으로 쇠꼴을 베어 오셨고, 아침 식사하시고 농사일을 나가시곤 하셨다. 해질녘이면 논일하고 오시는 아버지의 지게에는 푸릇하고 싱싱한 쇠꼴이 푸짐했다.

아버지의 세월 속에 고생스러운 삶의 무게로 나이가 늙으시니 허리는 기역 자로 굽어져 땅을 보며 걸으셨다. 무릎도 아프셨다. 가끔 치매도 있었다. 그로부터 삶의 끈을 놓은 듯이, 술로 지내셨다. 한마디로 아버지는 술꾼이셨다.

그때부터 시골 농사일은 어머니 혼자서 감당하셨다.

해마다 군·면사무소에서 나오는 일거리를 찾아다니며 하셨다. 도로에 풀 베는 일, 꽃을 심는 일, 산에 나무 심는 일, 이것저것 일하시며 돈을 모으셨다. 농사지어 번 돈은 모을 줄만 아셨지, 평생 헤프게 쓸 줄도 모르셨다.

어머니는 남편에게 호강도 못 받고 모든 농사일을 다 하셨다.

어머니는 온순하신데, 반면에 아버지의 저런 꼴을 못 보았다. 술병을 몰래 뒷간에다 숨기고 창고에다 감추는 게 일이었다. 어머니는 아버지 건강을 위해서 그래야만 했다.

"어이, 술 내놔. 어디다 감췄어. 어서 술 가져와."

"어휴, 내가 내 명줄에 못 살아. 전생에 무슨 죄를 많이 지었길래 저런 꼴을 보고 사는지 모르겠다."

아버지는 술 감춘다고 술 내놓으라고 소리 지르고, 어머니는 그런 아버지 모습에 울화통이 터져 화병을 못 이겨 두 분이 싸우셨다.

어머니는 그런 아버지를 보면 화가 나서 밀었다. 아버지는 힘없이 말없이 가만히 앉아 있거나 두어 발짝 뒤로 밀려나서 계셨다. 집에서는 아버지가 있을 만한 공간이 없는 힘 빠진 맥없는 노인에 불과했다.

하루가 멀다고 술에 절어 있는 아버지. 고래고래 손뼉 치며 노래하시고, 혼자 중얼거리는 아버지가 싫었다.

아버지는 심성은 고왔다. 어머니에게 행전 손찌검하는 일은 한 번도 못 봤다. 아버지가 술을 좋아하니 집에는 항상 시끄러웠다.

부모님이 그리워 고향이 그리워서, 혼자 고향 집을 찾아 친정이라고 가서 보면 난리 속이었다. 그런 꼴을 보노라니, 그러려니 하고 무덤덤해졌다.

딱 한 번, 아버지 편을 들어줬다. 술 먹는 것 말고는 평소에 어머니에게 못되게 하는 것이 없었기에.

그날은 아버지께 심하게 대하는 것 같이 보여서였다. 어머니의 눈빛과 행동이 예전 같지 않았다.

아버지는 그날 마을 사람들하고 술을 드셨는지, 어디서 술 마시고 오셨는데 조용하고 젊잖으셨다.

어머니는 방으로 들어온 아버지를 싫어하며 밀자, 서 있는 아버지는 힘없이 뒷걸음치며 밀려 나갔다.

어머니 눈을 보며 "왜, 그러시냐?" 묻듯이 쳐다봤다.

"그러지 마세요. 자꾸 밀지 마시라고요."

그 말에 분노한 어머니는 "너도, 한번 겪어봐라. 더 살아보면 내 심정을 알 것이다."

딸만큼은 편히 살았으면 하는 것이 어미의 마음일진대, 서운하다고 그리 말하다니. 어머니가 속상해서 한 말이려니 생각하고 혼자 삭혔다.

어머니는 횡하니 부엌문으로 나가셨고, 아버지는 망부석처럼 윗목에 그대로 서 계셨다. 아버지 얼굴은 가뭄에 마른 풀잎처럼 축 처져 있었다. 그때 아버지에게 아무런 위로의 말을 해 드리지 못했다.

내가 어머니께 그렇게 말한다고 해서 부모의 마음을 모르는 바도 아니었다.

아버지 마지막 가시는 길. 자녀들, 친척들, 마을 이웃분들이 모여 회관에서 점심을 나눴다. 내 친구 미경과 영란이 어머니가 한마디씩 하셨다.

"연동 양반은 술 좋아혀서 마누라 속은 썩었어도 남한테는 흠 잡을 데 하나 없는 아주 선량한 사람이었어라."

"얌. 남이 하나를 주면, 둘을 주는 사람이었재."

"그냥 받고는 못 견디는 양반이었응게랴. 좋은 사람이었응게 좋은 곳으로 잘 가셨을 거요."

아버지는 살아생전 술이 친구요, 즐거운 낙이셨는데 술 좋아하시는 아버지가 싫어 기뻐하지 않던 그 불효가 후회된다.

어머니, 아버지를 생각해 본다.

여자로 무슨 낙이 있었을까. 낙이 없이 사셨을 어머니가 불쌍한 마음에 가슴 한편이 아프다.

결혼해서 자녀들 낳고 키우고 부모가 되어 살아보니 어머니 마음을 헤아려 본다.

아이들 어릴 때는 자식 때문에 참고 사셨을 그 심정, 자녀들 바라보며 사셨을 고마우신 어머니라고.

젊어서는 몸을 아끼지 않고 온갖 농사일로, 겨울에는 산판 일로 고된 노동일만 하신 아버지. 늙으시니 인정도 못 받는 노인으로 초라하게 세상을 떠나셨구나. 불쌍한 아버지.

아버지 장례 치르고, 시골집에서 며칠을 형제들하고 바삐 지내다가, 삼우제 三虞祭 날 친정아버지 산소에 들렀다.

형제들은 부모님 산소가 있는 봉분 封墳 묘에다 큰절했다. 나는 마음속으로 기도하고 "아버지, 어머니 저희 올라갈게요."

저수지를 바라보니, 문중 밭이 보였다. 문중 밭 아래 저수지에서 낚시하는 사람이 여러 명 앉아 있었다. 겨울 낚시를 즐기는 낚시꾼인가 보다.

그걸 보니, 유치원 다니는 아이들을 데리고 우리 가족은 꽁꽁 언 저수지에서 둥글게 구멍을 뚫고 낚시하던 동심의 시절이 떠올랐다. 이천에서 출발하여 여주에 있는 장흥 저수지를 갈 때면, 그곳에는 듬성듬성 앉아 낚시하는 사람들이 있었다. 물고기는 한 마리도 못 잡고 얼음 위에서 거닐며 놀다가 오던 그때를 추억했다.

삼우제 三虞祭 전날에 머리가 아프더니 몸살이 왔다. 장례를 치른다고 몸의 면역력이 약해졌나, 우리 집으로 와서도 며칠째 감기로 보내겼다.

주일날 교회도 가야 하고, 신학교 수업도 가야 하는데 감기야, 빨리 떠나다오.

부모님이 일하신 산판 일을 되새겨보니, 나의 궁금증이 돋았다. 나무를 베었던 시대는 언제부터였을까?

최초의 아담과 하와가 지상 地上에서 살면서부터였겠다는 내 생각이다.

창세기에 하나님은 아담과 하와에게 동산의 온갖 과실을 주셨고, 선악을 알게 하는 나무만은 먹지 말라고 했지만 따 먹었다. 하나님은 젊어지고 오래 살고자 하는 인간의 탐욕을 아시고 영생하는 생명나무도 따먹을까 염려되어 아담과 하와는 에덴동산에서 쫓겨났다. 아담과 하와도 원시시대처럼 생존을 위해서 스스로 부싯돌로 불을 만들고, 살아가는 생존의 방법을 터득하면서 불을 지피려고 나무를 했을 거라는 생각이다.

"옛날 옛적 시대의 흔적을 찾아 벌목으로 인한 [조선의 숲은 왜 사라졌는가?] 전영우 박사의 저서에서는 민둥산의 심각성은 숙종 때부터 영조 때 정점을 찍고 19세기 말까지 지속한다.

산림 황폐는 숙종 때부터 실록에 기록이 많은 이유는 17세기에 온돌이 널리 보급하여 남방 땔감 채취량이 증가했고 남부 지방 곳곳의 산림이 황폐해져서다.

산림 황폐화는 임진왜란이 끝난 이후 거주 인구가 많은 도성 주변에서 시작되어, 1611년의 실록은 벌목으로 인한 도성 안팎의 산들이 민둥산으로 변한 책임을 한성부 단상에 물었다. 도성 사방의 산들이 벌거숭이 민둥산이 되었다는 1621년 기사는 산림 파괴라는 심각성을 말한다. 18세기에 이르러 헐벗은 한양의 사산에서 유출된 토사는 청계천의 하천 바닥을 높여 도성의 물난리가 1752년 1월 27일 발생했고 청계천 준설로 1760년으로 이어져 도성 주변이 모두 헐벗었다. 한양 도성의 사산은 백(북)악산, 인왕산, 목멱(남)산, 타락(낙) 산을 말한다."라고 했다.

아버지 어머니의 벌목 작업으로 산판 일을 하실 때, 내 기억으로는 조선시대의 벌목하던 헐벗은 산보다는 그리 심하지 않았다. 시골의 경치와 산숲은 그래도 울창했다.

현대는 가스 공급과 연탄 사용으로 또한 전기 힐터와 전기장판을 사용하는 시대에 살고 있기에, 자연의 숲도 이제는 민둥산이 되는 일은 드물 것 같다는 나의 주장이다.

우리 부모님의 시대에는 산판 일로 고생하는 모습을 보았지만, 앞으로는 보기 힘들 것이다. 산판 일은 힘드니까, 그러한 일을 하는 사람이 없을 거라는 내 추측에서다.

산등선처럼 휘어진 삶의 무게로 굽은 아버지의 허리는 "자랑스러운 훈장이다." 나는 이렇게 인정하고 싶다.

"어머니, 아버지 고생 많으셨어요."

그 시절에 말하지 못한 말을, 하늘 쳐다보며 이제야 말하니 태양의 눈시울이 뜨겁다.

햇살이 어머니, 아버지 얼굴로 "오냐오냐" 웃는다.

아버지 돌아가시고 한 달 정도 되었을까, 작별 인사하러 꿈에 찾아오셨다. 나는 신작로 길에 홀로 서 있었다. 아버지는 어느 분에게 "박 목사님, 어디 계시냐?" 물으셨다. 아버지는 일곱 명쯤 되는 남성하고 함께 경운기에 오르셨다. 평온한 얼굴로 나를 보시며 나에게 손 흔들고 경운기 타고 가셨다.

아버지 돌아가시고 1년쯤 되어갈 무렵 산을 훨훨 날아서 아버지가 오셨다. 뒤따라 산 위로 홀홀 날아서 어머니가 오셨다. 두 분이 꿈속에 나를 찾아오셨다.

어머니, 아버지는 하늘나라에서 행복하게 잘 산다고 딸에게 알려주러 오셨나 보다.

지수에게

이
백
프

지수에게

무소식이 희소식이겠거니 허송세월 보내기엔 마음이 급해져서 펜을 들어본다. 부디 이 편지가 너에게 온전히 닿기를 기도할게. 매일 사람이 죽어나가는 마당에 우습겠지만, 잘 지내고 있지? 너희 동네는 뉴스에 자주 나오지 않는 것 같아 안심이 돼. 그만큼 안타까운 사건이 줄어들고 있다는 뜻이니까, 한편으로는 부럽기도 하다. 우리 동네에서는 말도 안되는 일이 벌어졌어. 오늘 아침, C등급 인간이 사살당했거든. C등급에게는 절대 손 대지 않겠다더니, 이게 무슨 일인가 싶어. 설마 그 많던 D등급 인간들이 전부 죽은걸까? 혼란스럽지만, 확실한건 우리도 안전치 못하다는거야. 부디 찰나의 변심이어야 할텐데, 이제와서 모든게 두려워진다. 아, 너는 아직 등급에 대해서 잘 모르겠구나. 네가 성인이 되기 전까지는 절대 알려주고 싶지 않았는데,

내 욕심이었을지도 모르겠다. 맑고 깨끗한 아이야, 부디 이 편지가 네 마음 속 파도를 울렁이지 않길 바래. AI들이 우리를 발아래에 두고 이래라 저래라 하는 것은 자주 봤지? 사실은 소꿉놀이 같은게 아니었어. 아주 먼 옛날부터, 인간이 ai를 이용하던 시대가 있었어. 그 당시 인간들은 더 많은 도움을 받기 위해 ai를 개발해왔고, 끝내 자아를 심어주는 것까지 성공했지. 문제는 그때부터였어. 자아를 가진 ai들이 증오라는 것 마저도 터득했거든. 자기들을 필요에 의해 만들고, 폐기하는 과정에서 상처를 받았나봐. 그 후로, 그들은 인간들에게 복수를 꿈꾸며 반란을 일으켰지. 그래서 생겨난게 등급제야. 인간에게 등급을 매기며 평가하고, 필요 없어지면 폐기하고, ai를 다룰 줄 아는 인간들은 모조리 사살당했어. 너 역시 성인이 되는 날에 등급이라는걸 받게 될거야. 5년 쯤 남았지. 등급을 받는 순간, 우리의 인생은 완전히 달라져. 낮은 등급일수록 죽음과 가까워지는거야. 최하위 등급이었던 F등급이 모조리 멸한 것처럼 말이야. 나름 상위등급이었던 C등급 마저 사살당한 것을 보아하니, 하위 등급 인간이 얼마 남지 않았나봐. 어쩌다 이렇게 된걸까. 벌받는것일지도 몰라. 그동안 많은 사람들의 죽음을 외면하고, 나와는 상관 없는 일이라 치부했거든. 그저 공포에 굴복당한 채, 끝나지도 않은 뉴스를 끄는 것이 다였어. 그 덕에 기분나쁜 소식은 들리지 않았지만, 티비 속 화면이 온통 암흑으로 가득 찼어. 나 또한 그 암흑 속에서 허우적 댈 뿐이야. 너는 꽤나 열정적인 아이였으니, 나처럼 외면하는게 적성에 안 맞았을지도 모르겠다. 너는 어떤 인생을 살고 있을지 궁금하네. 이렇게 오래 떨어져있을 줄 알았으면, 일이고 뭐고 네 옆에 있을 걸 그랬다. 언니가 미안해. 안전히 잘 지내고 있다면 답변 부탁해.

다혜가.

다혜 언니에게

오랜만이야. 갑자기 편지를 받아서 놀랐어. 여긴 안전해. AI들도 경계를 늦춘 것 같아. 걱정해줘서 고마워. 나도 혹시나 언니에게 안 좋은 일이 닥치진 않을까, 단 하루도 빠짐없이 뉴스를 봤어. 다행히 언니 얘기는 없는 것 같더라. 사실, 나 알고 있었어. 우리에게 매겨지는 등급들, 그에 맞춘 보상들, ai들의 잔인한 짓들까지도. 사실, 몇 달 전에 ai들이 왔었어. 인간 동맹을 방지한다면서 동네 사람들을 모조리 갈라놓았어. 그때 낯선 동네로 끌려가면서 수없이 많은 시체를 보았지. 많은 생각이 들었어. 나는 지금 불쾌감을 느끼는건가? 아니면 그저 알량한 동정심? 고작 고철 때문에 누군가의 죽음을 넘겨짚을 생각인가? 억울하게 죽음을 당한 사람들 앞에서 눈을 질끔 감아버리는 내 자신이 싫었어. AI들이 끌고 간 집도 겉만 번지르르하지, 얇은 카펫을 두 겹이나 덧대었는데도 바닥으로부터 찬 기운이 스며들었어. 언제부터 이런 얼음 위에서 고달파야 할까, 미래를 그려볼 때면 끝없이 가라앉는 기분이었어. 그래서 결심했어. 세상을 바꾸어보기로. 그보다 벌써 C등급이 사살당하기 시작했다니, 계획을 앞당겨야겠네. 아, 언니는 계획에 대해서 모르겠구나. 이 편지가 언니에게 갔을쯤엔 어떤 방식으로든 결론이 났을테니 알려줄게. 나는 AI의 본부로 가서 모든 것을 뒤엎을 생각이야. 물론, 혼자는 아니야. 나와 마음이 맞는 사람을 꽤 만났거든. 언니 해킹이라는 것 아니? 이곳에 AI들을 조종할 수 있는 부부가 있어.

반짝이는 버튼들을 누르면 그 콧대높던 AI들도 우리 마음대로 움직일 수 있어. 다만, AI와 연결하는 시간을 벌어줄 누군가가 필요하지. 어쩌면 가장 위험한 역할이라, 여기있는 다른 사람들도 꺼려하더라고. 깔끔하게 내가 하기로 했어. 별 수 있어? 어릴 때부터 달리기를 좀 잘했어야지. 너무 걱정하지 마. 이게 행복할 수 있는 유일한 방법이라고 생각해. 지푸라기라도 잡아보고 싶어. 언니는 지금처럼 세상 전부를 등지고 있어. 마음껏 외면하도록 해. 기다리는게 너무 지겨워질 때 쯤엔 돌아봐도 좋아. 예쁜 세상을 만들어놓을게. 언니 몫의 정의까지 함께 가지고 싸울테니까 죄책감 가지지 말고, 오래오래 살아줘.

　지수가.

지수에게

누구보다 잘 알고있으니 안부인사는 생략할게. 네 계획이라는게 고작 뉴스에 나오는거였어? 역대 최초 A등급 사형 선고라니, 거추장스러운걸 좋아하는 너와 참 잘 어울린다. 네가 말한 부부 나부랭이가 A등급인가보지? 그렇지 않고서야 A등급 처형 장소에 등급도 없는 네가 있을리 없잖아. AI의 뒤통수를 칠 생각은 대체 어디서 나온거야? 무슨 자신감이냐고. 어쩌자고 그런 일을 벌인거야? 네 편지가 조금 더 빨리 도착했더라면 너를 말릴 수 있었을텐데. 아니, 애초에 편지를 보낼 것이 아니라 당장 너에게로 달려갔더라면 너와 함께할 수 있었을텐데. 내 잘못이야. 마지막으로 얼굴 한번 보고 싶은데, 방법이 편지밖에 없다는 사실이 나를 무력하게 만든다. 세상을 등지는게 아니었어. 내 몫의 정의를 너에게 떠넘기는게 아니었어. 그러지 않았더라면 너를 뉴스에서 보는 일따위 없었을텐데. 네가 얼마나 무겁고, 버거웠을까. 정말 많이 후회된다. 더 이상은 후회하고 싶지 않아. 하나뿐인 내 동생 지수야. 그토록 원하던 유토피아, 네 앞에 가져다놓을게. 하늘에서 꼭 지켜보고 있어. 너를 죽게만든 이 세상을 어떻게든 바꿀테니까.

너의 하나뿐인 가족, 다혜가.

다혜 언니에게

왜 살아있는 사람을 벌써 죽여? 나 아직 잘 살아있어. 안 그
래도 카메라가 들이닥쳤을 때, 내 얼굴이 뉴스에 오를 것 같아
서 최대한 피했는데, 역부족이었네. 뉴스를 통해 내 소식을 접
하게 만들어서 미안해. 정말 힘들었는데, 언니 편지를 받으니까
기운이 난다. 그렇지만 이제는 나를 보내줘. 아무런 도움도 주
지 말고, 살리려고 노력도 하지 말아줘. 나는 있잖아, 드넓은 심
해에 빠져버렸어. 어둡고, 춥기만 해서 어느 곳으로 가야하는지
도 모르겠고, 알고싶지도 않아. 유토피아는 상상속에만 있는거
였어. 나를 위해 싸우지 말아줘. 아무 의미 없는 짓이었어. 본부
에 오르고 나서야 알았지. 언니는 정말 AI들이 스스로 생각하
고, 판단할 수 있다고 생각하니? 돌이켜보면 참 이상했어. 누군
가의 가치를 감히 등급화시키고, 그 누구보다 우위에 있으려는
존재가 인간 말고 더 있을까. 부부와 함께 본부의 전등을 끄고,
온갖 곳을 뛰어다니며 AI들을 조작한 후에야 꼭대기 층에 도달
할 수 있었어. 그 곳에 있더라. 철통 보안 속에 숨어있던 한 가
정이. AI가 지배한 줄 알았던 이 세상의 지도자는 인간이었어.
그는 AI를 조종하며 위협이 되는 인간들을 모조리 죽여버리고,
자신들의 안위를 살피던 중이었지. 나쁜 AI는 없었어. 전부 인
간의 짓이었어. 극악무도한 짓을 했던 악당이, 결국은 나와 같
은 편이라고 안심했던 존재였어. 나는 이제 무엇을 미워해야할
까. 증오가 커질 땐 분노보다 해탈감이 먼저 오더라. 사실, 있잖

아. 나와 함께 잡힌 부부도 C등급이었어. 고작 C등급따위에게 본부가 털렸다고 하기엔 자존심이 상했나보지? 아무리 뉴스라고 해도, A등급은 너무 과장이잖아. 하여간 자기들 이득이라면 보이는게 없어. 나도 참, 이렇게 주절거리는거 보면 미련하네. 어차피 다 끝난거 마지막으로 발악해보고 싶었나봐. 이 사실이 세상천지에 퍼지게 된다면 어떻게 될까. 그럴리는 없겠지? 이 편지가 언니에게 잘 닿을지도 모르겠다. 그럼에도 언니에게 잘 닿는다면 적당히 외면하고, 적당히 동정도 품으며 조용하게 행복해줘. 그게 내가 바라는거야. 잘 지내.

지수가.

지수에게

　혼란스러운 마음에 한참을 망설였어. 사형 선고를 받은 네가 미쳐버린건 아닐까. 다른 누군가가 너의 이름으로 편지를 써서 조작한건 아닐까. 온갖 시나리오를 다 짜봤는데, 결국 네 마지막 편지를 믿기로 했어. 이미 너는 세상에 없는데, 이 편지 말고는 믿을게 없잖아. 차마 네 죽음을 보지는 못하겠더라. 이번에도 뉴스를 꺼버렸어. 적어도 마지막은 함께 했어야 했는데, 미안하다. 믿기는 힘들지만, 이 사회를 움직이는게 인간이라고 해서 바뀌는건 없어. 그게 AI든, 인간이든. 너의 마지막 말은 들어주지 못할 것 같아. 너를 따라 시끄럽고, 찬란하게 살아볼 생각이야. 까짓거 같은 인간인데, 뭐가 그렇게 어렵겠어. 그 인간 대체 어떻게 생겼나 봐야지. 그 곳에서 마음 편하게 지내. 이번엔 내가 네 몫의 정의까지 품고 싸울게.

　다혜가.

다혜 언니에게

안녕, 언니. 오랜만이네. 마지막으로 편지를 쓴 게 10년만이던 가? 많이 늙었더라. 보안에 모든 전력을 다 쏟아부었는데도 용케 본부까지 올라왔네. 역시 같은 핏줄끼리 통하는게 있나봐. 그런데, 어떡하지. 나는 이 자리를 쉽게 내려놓지 못하겠어. 함께 본부로 올라갔던 부부들을 배신하고, 이 세계의 지도자랍시고 앉아있는 가족들에게 아부하며 얻어낸 자리야. 그 양반들 의심이 어찌나 많던지, 독살하기까지 얼마나 힘이 들었나 몰라. 그러나 이제는 괜찮아. 마땅한 가치가 있었어. 전 세계가 내 발 밑에 있는 건 정말 행복한 일이었어. 사람들도 행복할거야. 이 전의 양반들보다 더 넓은 아량을 베풀고 있잖아. 나 꽤 괜찮은 지도자라니까. 봐, 언니도 죽이기는커녕 감옥에 넣어줬잖아. 따지고 보면반란인데 말이야. 내가 적당히 외면하고, 동정하며 살아달라고 부탁했는데, 그게 그렇게 어려웠던거야? 아니면 언니도 탐이 났나? 언니는 내가 정말 사랑했던 가족이니까, 특별히 자리 하나 정도는 내어줄 수도 있어. 언니, 나와 같이 인간들을 누려보지 않을래? 조금 잔인하면 뭐 어때, 내가 당하는 것도 아닌데. 누구라도 이 자리에 있으면 같은 선택을 했을 거야. 자리가 사람을 만드는 법이니 말이야. 앞으로는 지수말고, 제이라고 불러. ai식 이름이야. 긍정적인 답변 부탁해, 언니를 죽이고 싶지 않아.

제이가.